目次
Index

はじめに PREFACE 10
本書の構成 OUTLINE 12

CHAPTER 0
英語の「敬語」
"Politeness" in English 15

英語にも「敬語」はあります 16
できる人は「敬語」を使う 16
英語の敬語は「調節」がポイント 17
5つの調節方法 18
調節① クッション言葉で柔らかくする 18
調節② リクエスト形式にする 22
調節③ つなぎ言葉で流れをつくる 23
調節④ 単語を「格上げ」する 28
調節⑤ 「波」で変化をつける 31

WATER COOLER 0　相づちはほどほどに 36

CHAPTER 1
メールの基本
Email 101 37

基本フォーマット 38
A　宛先(To / Cc / Bcc) 39
B　件名(Subject) 39
①　宛名(Name) 41
②　冒頭(Beginning) 43
③　結び(Conclusion) 44
④　結辞(Complimentary close) 45
⑤　署名(Signature) 46
フォーマットの注意点 47

英語のお手本
そのままマネしたい「敬語」集

マヤ・バーダマン　監修＝ジェームス・M・バーダマン

朝日新聞出版

目次
Index

はじめに PREFACE 10
本書の構成 OUTLINE 12

CHAPTER 0
英語の「敬語」
"Politeness" in English 15

英語にも「敬語」はあります 16
できる人は「敬語」を使う 16
英語の敬語は「調節」がポイント 17
5つの調節方法 18
調節① クッション言葉で柔らかくする 18
調節② リクエスト形式にする 22
調節③ つなぎ言葉で流れをつくる 23
調節④ 単語を「格上げ」する 28
調節⑤ 「波」で変化をつける 31

WATER COOLER 0　相づちはほどほどに 36

CHAPTER 1
メールの基本
Email 101 37

基本フォーマット 38
　A　宛先（To / Cc / Bcc） 39
　B　件名（Subject） 39
　①　宛名（Name） 41
　②　冒頭（Beginning） 43
　③　結び（Conclusion） 44
　④　結辞（Complimentary close） 45
　⑤　署名（Signature） 46
　フォーマットの注意点 47

WATER COOLER 1　その日本語、英語でどう言う？ 50

CHAPTER 2
招待する・依頼する
Invitations & Requests 53

01 クライアントをランチに招待する　★★★ 54
件名：ランチのご招待（11月3日）

02 同僚をランチに招待する　★★ 56
件名：金曜のランチ

03 イベントに招待する　★★★ 58
件名：ジョー・ダニエルズによる講演へのご招待

04 ミーティングを依頼する　★★★ 62
件名：ミーティングのお願い

05 同僚に頼みごとをする　★★ 66
件名：チームの最新情報

WATER COOLER 2　英語で通じる？日本のビジネス用語 68

CHAPTER 3
問い合わせる
Inquiries 73

06 資料を請求する　★★★ 74
件名：価格表のご請求

07 問い合わせに対応する　★★★ 76
件名：Re: 価格表のご請求

WATER COOLER 3　よく使う略語 80

CHAPTER 4
電話対応
Phone calls...85

電話を受ける 86
名乗る／電話を取り次ぐ／相手を待たせたとき／
聞き取れない、速すぎる／席外し／不在／
留守録（ボイスメール）／用件を聞く（電話を取り次ぐときなど）／
名前と電話番号を聞く（伝言を受けるときなど）／電話を切る

電話をかける 89
名乗る／相手が不在のとき

WATER COOLER 4　ののしり言葉とPC 90

CHAPTER 5
謝罪する
Apologies...93

08　一般的に使える謝罪文　★★★ 94
件名：誤情報のお詫び

09　支払い漏れに対する謝罪　★★★ 96
件名：支払い漏れのお詫び

10　調査後の謝罪　★★★ 98
件名：支払い漏れの調査報告

11 ミーティングに遅れたお詫び
（直接謝罪した後のフォローとして） ★★★ 100
件名：遅刻のお詫び

12 ミーティングの日程を急に変更する ★★★ 102
件名：ミーティング日程の変更

13 送信済みのメールの内容に誤りがあった場合 ★★★ 104
件名：ウィンター・チャリティー・ラン（再送）

WATER COOLER 5　よく使うビジネス用語 107

CHAPTER 6
確認する・催促する
Confirmation & Reminders 111

14 ミーティングの内容を確認する ★★★ 112
件名：合意事項のご確認

15 返事を催促する ★★★ 114
件名：誤って届いた商品の返品

16 支払いを催促する ★★★ 116
件名：ご注文（#C3481202）に関して

WATER COOLER 6　通じないカタカナ言葉と似て非なる動詞 118

CHAPTER 7
お知らせする
Notices 121

17 言いにくいことを伝える ★★★ 122
件名：新しいプロジェクト

18 進捗状況を伝える ★★★ 124
件名：プロジェクトの遅延

19 売り込みの企画を断る ★★★ 126
件名：企画案をありがとうございました

20 社内への告知 ★★ 128
件名：毎年恒例　冬のブック・ドライブ

21 色々なお知らせ ★★★ 132
メールアドレスの変更／不在通知／その他のフレーズ

WATER COOLER 7　　OKはOKではない？ 134

CHAPTER 8
意見を述べる
Express yourself 137

意見を述べる（〜だと思います）／考えがまとまらない、意見が特にない／
意見するのを避ける／同意する／反対する／意見などを求める／
提案する／説得する／確認する／誤解を解く、認識を正す／
クレームを述べる、問題点を伝える／決断を延期する／
思いとどまらせる／妥協する／理由をたずねる／
理由を説明する／感情を表すキーワード

WATER COOLER 8　否定形の質問、答え方に迷ったら............................147

CHAPTER 9
毎日のオフィス英語
Daily communication 149

22 感謝を伝える　★★★ 150
件名：ありがとうございます

23 お見舞い　★★ 152
件名：お見舞い申し上げます

24 お悔やみ　★★★ 154
件名：心よりお悔やみ申し上げます

25 昇進のお祝い　★★ 156
件名：昇進おめでとう！

26 出産のお祝い　★★ 158
件名：おめでとう！

27 転職の挨拶　★★ 160
件名：これまでお世話になりました

WATER COOLER 9　受動態の使い方 163

おわりに　POSTSCRIPT 165

はじめに
PREFACE

　筆者が勤務していたゴールドマン・サックスでは、部署内外から毎日様々な依頼のメールが送られてきました。伝え方はまさに三者三様でしたが、次のような表現をたびたび見かけることに、あるとき気がつきました。

Could you kindly〜?

　日本語では「〜していただけますか？」となりますが、ここで強調したいのは、kindlyのひと言です。自然な日本語に訳すのは難しいですが、直訳すると「親切に」「優しく」といった意味の言葉です。

Could you prepare the document by tomorrow?
Could you <u>kindly</u> prepare the document by tomorrow?

　どちらも「資料を明日までに用意していただけますか？」という意味の文章で、kindlyがなくても十分丁寧な表現です。ただ、この何気ないひと言に、相手の様々な思いを読み取ることができます。例えば、「明日まで」という急な用件であることに対する、申し訳ない気持ち。あるいは、明日までに資料があると非常に助かるという気持ち…。

　もしかしたら、実はそこまで申し訳なく思っていないかもしれないし、絶対明日までに必要というわけではない可能性もあるでしょう。しかし、相手はkindlyという言葉を、少なくともマナーとして、意識的に使っていることは事実です。ここで言うマナーとは、何かを依頼するときは、相手を気遣う態度を示し、できるだけ丁寧に伝えるという、相手とよい関係を保つためのコミュニケーションの基本です。kindlyのひと言から、相手は心遣いを感じ取ります。仕事ができる人ほどそういった言葉への感度が高いようです。私が仕事でお世話になった「できる」人たちは、このことを熟知されていました。

ここで私は、「お願いするときはkindlyを入れると効果的」と言いたいのではありません。英語にも日本語と同様に、相手を思いやり、丁寧に伝えるための表現方法があるというのがこの話の趣旨であり、本書の大きなテーマでもあります。日本語の「お手数ですが」「申し訳ないですが」のように、ちょっとしたひと言や言い回しを使えるようになれば、より正確に、礼儀正しく伝えることができるのです。

「英語が母国語ではないから、多少表現が稚拙でも相手は許してくれるだろう」という考え方は、一方では賛成です。怖がってアクションを起こさないよりは、間違えてもいいから積極的に伝えるべきですし、「表現がつたなくてすみません」と謝る必要もありません。

　ただもう一方で、表現が適切でないがゆえに、意図が伝わらなかったり誤解されたりすることも事実です。逆に、相手が気持ちよく受け取れるような伝え方ができれば、関係がさらに深まったり、仕事がスムーズに進んだりというようなメリットが生まれるでしょう。

　本書は、外資系企業にかぎらず、どんな職場でも、そしてプライベートでも使える「丁寧英語」のお手本です。私はこの丁寧英語を、ゴールドマン・サックスで学びました。それは、今でも血肉となって役立っています。会社のポリシー上、当時のメールや文書を転送したり持ち帰ったりすることができませんでしたが、記憶に残るメールや覚えたパターンを基に、エッセンスを取り入れて例文を作成しました。また、職場で使う英語が少しでもイメージされやすいように、勤務していたときのリアルな体験談も紹介しています。

　私は仕事を通して、お手本となる人のメールや電話対応を参考にしながら、だんだんとビジネスで通用する英語を身につけていきました。本書も、読者の皆様の疑問や悩みを少しでも解決するヒントとなり、自信を持ってコミュニケーションを取るための一助となりますことを、心から願っています。

マヤ・バーダマン

本書の構成
OUTLINE

> CHAPTER 0…まず、英語の「敬語」について知っていただきます。
> CHAPTER 1…次に、ビジネスメールの基本事項を確認しましょう。
> CHAPTER 2〜…いよいよ実践編です。テーマ別に8つの章に分けました。
> CHAPTER 2, 3, 5, 6, 7, 9…メールの章です。
> CHAPTER 4…電話対応の章です。
> CHAPTER 8…意見を述べるときのフレーズ集です。

各章の項目は、ビジネスでの具体的なシチュエーションに基づいています。**★マークは、丁寧レベルを表しています**(丁寧レベルについては18ページをご参照ください)。

メールの章の場合、左ページは**メールの例文です。テンプレートとして活用してください**。文中に振ってある番号は、日本語訳の番号と、応用フレーズの番号に対応しています。

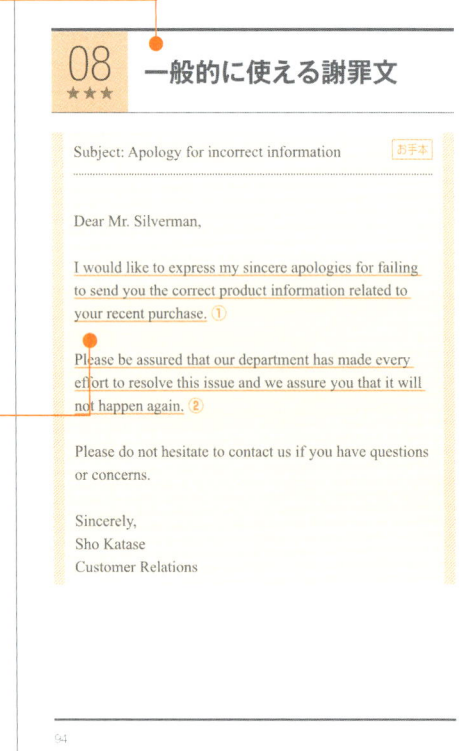

08
★★★
一般的に使える謝罪文

Subject: Apology for incorrect information　　お手本

Dear Mr. Silverman,

I would like to express my sincere apologies for failing to send you the correct product information related to your recent purchase. ①

Please be assured that our department has made every effort to resolve this issue and we assure you that it will not happen again. ②

Please do not hesitate to contact us if you have questions or concerns.

Sincerely,
Sho Katase
Customer Relations

章末に **WATER COOLER** というコラムを設けています。「ウォータークーラー」とはオフィスに設置してある冷却機のことで、主に休憩場所として使われています。よく、うわさ話をする場所としても知られています。外資系企業での体験談や、日本と海外で異なる習慣や文化、覚えておきたい用語や文法などについてご紹介します。疲れたら、ここでほっと一息ついてください。

件名：誤情報のお詫び　シルバーマン様

このたびは、最近ご購入された商品に関して正しい情報をお送りせず、誠に申し訳ございませんでした。① 本件の解決に弊部門で力を尽くしましたことをご理解いただきたく、また再発防止に努めます。② ご質問やお気づきの点がございましたら、ご遠慮なくご連絡くださいませ。　カスタマーリレーションズ　片瀬翔

①の応用フレーズ

▶ I [We] deeply apologize for the delay.
　——遅れましたこと、深くお詫び申し上げます。

▶ Please accept my deepest apologies for causing this inconvenience.
　——ご迷惑をおかけしましたことを心よりお詫び申し上げます。

▶ Please accept our apologies for the errors in the previous newsletter. A correction will appear in the next issue. We regret any inconvenience this may have caused you.
　——前回のニュースレターに誤りがありましたこと、お詫びいたします。次号に訂正を掲載いたします。ご不便をおかけして申し訳ございません。

▶ Apologies for the inconvenience.
　——ご不便をおかけして申し訳ありません。

②の応用フレーズ

▶ Thank you for your patience and understanding.
　——お時間をいただき、またご理解いただきましたことに感謝申し上げます。

▶ I would like to adjust [fix] this to your satisfaction.
　——ご満足いただけるよう、改善に努めます。

▶ Your business [Our relationship with you] is important to us.
　——御社との関係を大切にしていきたいと存じます。

■ fail to =～し損なう　■ assure X that = X に～を保証する
■ hesitate to =～するのをためらう　■ patience =辛抱
■ adjust X to Y = X を Y に合わせて調整する

メールの章の場合、和訳の後は解説です。**「応用フレーズ」は言い換え表現です。**同じ意味の言い換えだけでなく、別の状況を想定した表現もたくさん紹介しています。**例文の丁寧レベルと異なる場合にのみ、★マークが付いています。**

登場する単語の中から、重要なものをピックアップし、文中における意味（訳）を併記しています。

編集協力:Karl Rosvold、小森里美
イラスト:齋藤太郎

CHAPTER 0

英語の「敬語」
"Politeness" in English

　日本人がビジネスで最もよく使う言葉は、「よろしくお願いします」と「お疲れさまです」ですね。定型的に使う言葉ですが、相手を敬ったり気遣ったりするという意味では、欠かせないフレーズです。

　この言葉を英語で表現しようとすると、直訳ではちょっと難しいです。でも、英語にもちゃんと、同じような表現があります。英語圏の人は目上の人にもフランクに話すから、そもそも相手への敬意を表す言葉を使わないのでは、と思う人もいるかもしれませんが、それは全くの間違いです。英語にも「敬語」はあります。そして日本と同様に、特にビジネスでは敬語を適切に使うことが求められます。ただ、日本語のように「尊敬語」「丁寧語」「謙譲語」といった文法体系も、それ自体が「敬語」の意味を持つ単語もありません。

　「よろしくお願いします」や「お疲れさまです」も、直訳はできませんが、同じ思いを伝える、英語ならではの表現がちゃんとあります。あなたならどのように言い表しますか？

　答えは WATER COOLER 1 で紹介していますので、ぜひ覚えてくださいね。

英語にも「敬語」はあります

「英語に敬語はない」と思われがちですが、ビジネスにおいて、これは危険な誤解です。例えば、以下のようなことをよく耳にします。

・英語圏の人はフランクだから、直接的に伝える方がよい
・中学生レベルの英語で十分通用する
・ジョークを交えて話す方が受けがよい

これらはすべて間違いです。**英語も日本語と同じで、敬語を用いて丁寧に伝えることが、基本的なマナーです。**ジョークも、相手や状況によっては印象づけたり場を和ませたりする意味で効果的な場合もありますが、使わない方が無難でしょう。日本語で常識として言わないことや使わない伝え方は、英語でも変わりません。
では、英語の「敬語」は、具体的にどのように表現するのでしょうか？

できる人は「敬語」を使う

ゴールドマン・サックスには有能な人がたくさんいましたが、彼らはコミュニケーションにおいてもプロフェッショナルでした。「はじめに」でもその一例をご紹介しましたが、仕事を円滑に進める上で伝え方が重要であることをよく理解していて、「敬語」を上手に使っていたのです。彼らを観察すると、コミュニケーション能力に長けた人の伝え方には以下のような共通点がありました。

①**簡潔で短い**
②**ドライすぎず、人間味がある**
③**丁寧で気を遣っている**

では、具体例を見ていきましょう。例えば頼みごとをするときの一般的な表現は、

▶ Please update the file by the end of the day.
（ファイルを今日中に更新してください）

です。①の「簡潔さ」はクリアしていますね。please（〜してください）はお願いするときの丁寧な言い方なので失礼ではないですが、②や③は当てはまりません。これに「敬語」表現を加えることで、印象は格段に変わります。例えば、

▶ Please update the file today. <u>Thank you!</u>

最後に thank you!（ありがと！）を加えるだけで温かい印象になり、②の要素が加わります。あるいは、

▶ <u>Would be great if you could</u> update the file today.

please を (It) would be great if you could（〜してくださるとありがたいです）に変えると、個人的な感情が加わって②の要素が入り、かつ③の柔らかさもアップします。

英語の敬語は「調節」がポイント

英語の「敬語」も日本語同様、相手への心遣い・気遣いを示す表現です。しかし、その仕組みは日本語と大きく異なります。英語の敬語には日本語のように「尊敬語」「丁寧語」「謙譲語」に分けられた文法体系もなければ、それ自体が敬語の意味を持つ単語が存在するわけでもありません。

英語の敬語のポイントは、「コミュニケーション方法を調整する」ことです。日本語では、相手によって敬語表現の形式（「ございます」「です」「だ」など）を選択し、その形式を一定に保って話したり書いたりするのがマナーです。しかし、英語にはそのような形式はありません。**英語の敬語は、単語の組み合わせ、接続語の使用、話す速度や声のトーンなど、様々な要素を組み合わせて調節し、丁**

寧度に応じて表現します。

まず本書では、英語の丁寧度を3つのレベルに分類します。CHAPTER 2からは、丁寧レベルに応じたメールの書き方や話し方を紹介します。

	丁寧レベル	相手	例
★★★	とても丁寧 (very polite)	地位、身分、年齢などが上の人	クライアント、社外の人、上司など
★★	やや丁寧 (polite)	一般的に丁寧に接する相手	社内の同僚や日本で言う「先輩」、店員など
★	カジュアル (casual)	親しい人、身近な人	親しい同僚、日本で言う「後輩」など

5つの調節方法

次に調節の仕方ですが、主に以下の5つの方法があることを覚えてください。

①クッション言葉で柔らかくする
②リクエスト形式にする
③つなぎ言葉で流れをつくる
④単語を「格上げ」する
⑤「波」で変化をつける

調節①　クッション言葉で柔らかくする

例えば、相手とは異なる意見を述べたいときを考えてみましょう。「私は〜だと思います」といきなり伝えるよりも、「それも正しいかもしれませんが」などと前置きしてから自分の意見を伝える方が、角が立ちませんよね。

英語も同じで、I think 〜（私は〜と思います）や in my opinion（私の意見としては）は間違いではないですが、自分本位な人だと

受け取られる場合もあります。It seems to me that 〜（私には〜のように思われます）や Basically, I agree with you, but 〜（基本的には同意しますが）の方が丁寧で、好ましい表現です。

話は変わりますが、ビリヤードに「クッションを使う」という言葉があります。ボールを直接ねらわず、両サイドのクッションと呼ばれる部分に当てることで、角度をつけたり、ボールの勢いを調整したり、衝撃を和らげたりすることです。それが転じて、間接的に人に働きかけることや、少し時間を置くことを「ワン・クッションを置く」（和製英語）と言い表すようになりました。

先ほどご説明した It seems to me that 〜や Basically, I agree with you, but 〜のように、**文頭に添えることで文章全体を丁寧な表現にする機能を持つフレーズを、「クッション言葉」と言います。**日本語で言う「恐れ入りますが」「あいにく」「残念ですが」「失礼ですが」「お手数をおかけいたしますが」などに相当します。

クッション言葉は文字通り、文章全体を柔らかいクッションで覆うイメージです。その心は、「相手に（心の）準備をさせてから伝える」という「思いやり」です。依頼するときや断るとき、相手にとって好ましくない場合や不都合な場合、相手が聞いてがっかりすることやよくないこと、不快な気持ちになることを伝えるときに使います。

例えば、

▶ Your department is short-staffed, but we would appreciate it if we can ask 2 people to help out with the event.
(あなたの部署は人手に余裕はないですが、イベントのお手伝いに2名来ていただけるとありがたいです)

と言うよりも、

▶ <u>I understand that</u> your department is short-staffed, but 〜
(あなたの部署は人手に余裕がないと<u>承知しておりますが</u>、〜)

とクッション言葉を入れる方が、角が立たず、より丁寧になります。また、I know that 〜ではなく I understand that 〜と表現することで、相手の立場を「理解」しようとしている印象も与えます。

その他に、以下のようなクッション言葉があります。

▶ <u>We realize that</u> this is a tight schedule, but we would really appreciate your cooperation.
(タイトなスケジュールかと思いますが、ご協力いただければ大変ありがたいです)

▶ <u>I hate to ask you to do this, but</u> I need you to put together some stats by 5:00 p.m. today.
(お願いするのが心苦しいですが、今日の午後5時までに統計をまとめていただきたいのです) ※stats＝statisticsの略語

覚えておきたいクッション言葉

■残念なことを伝える・断る
▶ I am afraid that 〜（申し訳ないですが）
▶ Unfortunately, 〜（残念［あいにく］ではございますが）

■依頼する
- I was wondering if (you could) 〜（もしよろしければ、〜[できますか]）
- I am sorry to trouble you, but 〜（お手数をおかけしますが）
- I understand [realize] that 〜, but 〜（〜と承知しておりますが）
- I hate to ask you to do this, but 〜（お願いするのが心苦しいですが）

■意見を述べる
- It seems (to me) that 〜（[私には]〜のように思われます）

■反論する
- I am not sure about that, but 〜（それについては何とも言えませんが）
- Another way to look at it is 〜（別の見方をすれば）
- That may be true, but 〜（それは正しいかもしれませんが）
- Basically, I agree with you, but 〜（おおむね賛同しますが）

　クッション言葉を添えるかどうかで、言い方の印象も相手の反応も変わります。広い意味での「ワン・クッション」を置いて、職場の人同士でパーソナル（私的）な関係になりすぎないようにするためにも、クッション言葉を使うことをおすすめします。

主語は重要

「閑さや岩にしみ入る蝉の声」。松尾芭蕉が山寺で詠んだ有名な句ですね。
　この句の「蝉」が何匹いるのか、解釈は人によって様々です。しかし、英語の可算名詞には単数と複数があるので、この句を訳す場合は、one cicada（1匹の蝉）か several cicadas（複数の蝉）か、どちらかを選択しなければなりません。

　このように、日本語では主語をあいまいにするだけでなく、省略することもよくあります。例えば「おなかが空いた」と言うだけで、意味は通じますね。一方英語では、主語があるとないでは、意味が大きく変わります。"Hungry." だけだと「空腹」と言っているように聞こえて、「何が？　誰が？　だから？」と思われかねません。英語では、動作主を表す主語は必ず入れましょう。

またビジネスでは、組織に所属している場合、自分の立場を表現する言葉にも気を配れるとスマートです。we（私たち）とI（私）、2つの表現があります。多くの場合、weやour company（弊社）を用いるのが基本ですが、内容や相手に応じて使い分けてください。

	we / us / our	I / me / my
立場	部署、会社などの組織	個人
使い方	客観的に意見を述べる	個人として意見を述べる
印象	丁寧でフォーマル	フレンドリー

調節②　リクエスト形式にする

　例えば相手に今日中にフォームを提出してもらいたいとき、丁寧さを一切考えずに伝えると、"I want you to submit the form today."（フォームを今日提出してほしい）のような表現になります。これでは直接的すぎて、思いやりも配慮もないように聞こえてしまい失礼です。

▶ Please submit the form today.（フォームを今日提出してください）
▶ Could you submit the form today?（フォームを今日提出していただけますか?）

　何かを依頼するときは、Please ～（～してください）やCould you ～?（～していただけますか?）のようなリクエスト形式にすると丁寧です。 他にも、Would you please ～? やWould it be possible ～? など、様々な表現があります。

▶ Is there any way [possibility] that you could attend the event on my behalf?（私の代わりにイベントに出席していただけますか?）

> **Could you ～? と Would you ～? の違い**
> 　Could you ～? はCan you ～? のより丁寧な表現、Would you ～? はWill you ～? のより丁寧な表現で、どちらも「～していただけますか?」です。し

かし、この2つにはニュアンスの違いがあるので、リクエストの内容によって使い分けましょう。

■ **Could you ～？＝可能かどうか**
できるかどうかの「可能性」を聞くので、**相手に「断る」という選択肢を持たせることができます。**

例：返事を催促するとき
Could you give us your response by Friday of next week?
(来週の金曜までにお返事をいただけますか?)

来週の金曜までに返事を「できるかどうか」を聞いているので、理由を説明せずに「できない」と言わせることを可能とする「クッション」が存在します。

■ **Would you ～？＝意志があるかどうか**
「意志」や「気持ち」があるかどうかを問うニュアンスがあるので、**相手にとっては断る自由度が狭まります。**

例：手紙に返事をしてほしいとき
Would you answer the letter?
(手紙に返事をしていただけますか?)

これは「クッション」が欠ける、やや直接的な表現です。"Won't you answer the letter?" と否定形にすると、強引で、さらに断る隙を与えないような言い方になるので使わないようにしましょう。

調節③ つなぎ言葉で流れをつくる

いきなりですが、問題です。以下の文章にフレーズをひとつ入れて、より丁寧な文章にしてください。

▶ Thank you for sending the updates. How are things going in your department?
(アップデートを送っていただきありがとうございました。そちらの部署は最近お変わりありませんか?)

正解は、**by the way** です。後半の文章の冒頭に入れます。

▶ Thank you for sending the updates. By the way, how are things going in your department?
（アップデートを送っていただきありがとうございました。ところで、そちらの部署は最近お変わりありませんか？）

相手が親しい人であれば、最初の方でも問題はないでしょう。しかし突然話題が変わるので、相手を戸惑わせてしまう恐れがあり、少し失礼です。日本語と同じです。

by the way のように、文脈の流れをより明確にして伝えるために、文章の冒頭や、言葉と言葉の間、文と文の間に入れて、前後をつなぐ言葉を「つなぎ言葉」と言います。 つなぎ言葉は、言葉と言葉、文と文の間をつなぐ鎖のイメージです。前後がきちんと鎖でつながっていれば、相手もスムーズに理解することができます。

以下に紹介するつなぎ言葉は学校で習うようなフレーズばかりで、「これが敬語？」と思うかもしれません。ですが、「相手に（心の）準備をさせてから伝える」ためには欠かせない要素ですので、覚えておきましょう。

覚えておきたいつなぎ言葉

　＊印がついているものは、カジュアルな表現あるいは会話で使う表現です。メールや形式的な書類には使わないでください。

■話題を変える
▶ by the way＊(ところで)　※ただし、メールでは使われることもあります。

■元の話題に戻す
▶ anyway (as I was saying)＊(それはそうと[先ほど申し上げたように])
※「とにかく」というニュアンスもあり、相手の話を片付けて自分の話に切り替えるために使うと失礼なので、注意してください。

■順番を示す
▶ first, 〜 ; second, 〜 / firstly, 〜 ; secondly, 〜(最初に〜、2番目に〜)
▶ first, 〜 ; next, 〜 , finally, 〜(最初に〜、次に〜、最後に〜)

■同意を示す
▶ I believe so.＊ / I believe that's right.＊ / That's correct.(その通りです)

■例を挙げる
▶ for example [instance](例えば)
▶ in this case / in the event that (this happens) 〜(〜の場合は)

■追加する
▶ in addition(さらに)
▶ not only A but also B(AだけでなくBも)

■結果を説明する
- for this reason / as a result / because of this / consequently(結果として)
- all things considered / in conclusion / therefore(したがって)

■まとめる
- in conclusion / in summary / so(つまり)
  ※soは使い方によってはカジュアルにもなりえます。
- to make a long story short*(簡潔に説明すると)
- to sum up*(まとめると)
- the bottom line is that(要するに)

■事実を述べる
- actually / in fact(実は)

■反対のことを説明する
- however(しかしながら)
- instead(その代わり)
- in spite of 〜 / despite 〜(〜にもかかわらず)
- still / even then [so](とはいえ)
- on the contrary / in contrast / on the other hand(一方)

■理由を説明する
- since 〜 / that's because 〜 / because of〜(〜なので)
- actually(実は)
- in order to 〜(〜するために)

【注意点】

■文頭に入れる場合（書くとき）

文章の頭に入れると不完全になるつなぎ言葉に注意しましょう。

× Our department offers several services. For example, printing and binding.
(私たちの部署は様々なサービスを提供しています。例えば、印刷と製本です)
※会話では文と文の間を区切ることはありますが、文法的には誤りです。

○ Our department offers several services, for example, printing and binding.

■つなぎ語（話すとき）

"um," "well," "you know," "like," "kind of,"（えーと、あのー、そのー、やっぱり）のような「つなぎ語（filler）」はあまり使わないようにしましょう。使いすぎると、不真面目、または考えがまとまっていない印象を与えかねません。また、メールでは絶対に使わないでください。

丁寧な表現は自然と長くなる

例えば相手の言ったことが聞き取れなかったとき、つい "What?"（何？）と言いがちです。しかし、電話ではなおさらですが、対面であっても、いくら声のトーンや表情に気をつけても不機嫌なように聞こえてしまうでしょう。

次のような丁寧な表現にすると、自然と補う単語やフレーズが増えて、文章が長くなります。

○ Would you please repeat that? / Would you please repeat what you just said? / Pardon (me)?
(もう一度言っていただけますか?)

○ I'm afraid I didn't catch that. Would you mind repeating that?
(すみませんが聞き取れませんでした。もう一度言っていただけますか?)

△ Excuse me?
(もう一度言っていただけますか?) ※間違いではないですが、場合によっては「相手が言ったことが信じられない（からもう一度言ってもらう）」というニュアンスにもなりえます。

調節④　単語を「格上げ」する

「見る」より「ご覧になる」「拝見する」の方がスマートな表現であるように、英語にも、スマートさや丁寧さを持つ単語があります。

例えば、「資料を会議で配ってください」の場合、

① Please <u>hand out</u> the materials at the meeting.
② Please <u>distribute</u> the materials at the meeting.

どちらも同じ意味ですし、どちらも正しい表現です。しかし、**②の distribute の方がよりスマートで、①の hand out に比べて「格が上がる」表現**と言えます。日本語の尊敬語や謙譲語のように敬意が含まれるのではなく、あくまでも丁寧レベルの問題です。

「知性は言葉に表れる」と言いますが、特に欧米では、使う語によって「ランク分け」されることがあります。丁寧な単語を使用すると、相手に気を配っていることが伝わるだけでなく、さりげなく自分を表現する「キラーワード (killer word)」としての役割も果たします。

	「格上げ」単語	普段の単語
知らせる、伝える、提示する	announce / inform / present	say / tell / let X know
助ける	assist	help
試みる	attempt	try
行く、参加する	attend	go to
難しい	challenging	hard / difficult
はっきりさせる	clarify	make clear
(〜について)述べる	comment (on)	say something (about)
(フォームなどを)記入する	complete (a form)	fill out
アイデア	concept	idea

(思わしくない)結果	consequence	result
Xに~をお願いする	delegate X to do	ask
渡す、(スピーチなどを)する	deliver (a speech)	take / give
(計画などを)立てる、(考えなどを)進展させる、開発する	develop (a plan / an idea)	make
配る	distribute	hand out
詳述する	elaborate	describe in detail
約束、予定	engagement / appointment	plan
(苦情や問題などを)X(マネージャーなど)に伝える、委ねる	escalate (the issue) to X [the manager]	grow / get worse / make tense
実行する	execute	carry through / carry out / do
手早く処理する	expedite	speed up
可能性のある	feasible	possible
(ポイントなどを)強調する	highlight (the point)	strengthen
示す	illustrate	show
始める	initiate	begin / start
(質問などを)訊く、伺う、問い合わせる	inquire	ask (a question)
課題、問題、件	issue *the issue of cost ＝コストの件	problem
活用する	leverage	use / make use of
(ビジネスなどを)行う、運営する	manage	lead / run (a business)
交渉する	negotiate	work out
目的	objective	purpose
見る、観察する	observe	see / watch / look at

29

機会	opportunity	chance
延長する	postpone	put off
買う	purchase	buy
参照する	refer to	see
(頼みごとなどを)お願いする	request	ask (a favor)
必要とする	require	need
手段	strategy	method
十分な	sufficient	enough / plenty

ポジティブに表現しよう

　同じ内容の文章でも、否定形を使うか肯定形を使うかで、ニュアンスは大きく変わります。例えば、「できない」よりも「できる」と伝える方がポジティブで好印象です。否定形を使いそうになったら、肯定的に言い換えられるか検討してみましょう。

× The report will not be ready until Monday.
（報告書は月曜日までに用意できません）
○ The report will be ready on Monday.
（報告書は月曜日には用意します）
× We cannot change the current guidelines.
（現状のガイドラインを変更することはできません）
○ We need to obtain approval before changing the guidelines.
（ガイドラインを変更する前に、承認を得る必要があります）
× I am not familiar with all aspects of this topic, but〜
（このトピックのすべてについて知っているわけではないのですが）
○ My coverage includes most aspects of this topic.
（このトピックについては、大方を把握しております）

調節⑤ 「波」で変化をつける

ビジネスの会話では、常に丁寧でへりくだった表現を使うことが好ましいわけではありません。堅苦しく聞こえるだけでなく、相手と距離を置いているように思われ、冷たい印象を与えかねないからです。日本人同士でも、敬語を使いながらも時折フレンドリーに接することで、相手との距離が縮まったり商談がスムーズにいったりするケースはあるでしょう。

もちろん、あまりにもカジュアルでくだけた表現を使いすぎると、失礼になります。英語も同様で、friendly but polite（親しみやすいけど丁寧）な話し方が自然で、ねらいたいところです。

自然な会話のポイントは、丁寧さの加減に「波」をつくることです。 つまり、表現の丁寧レベルを上げたり下げたりすることで、会話が全体として丁寧になるように調節します。そうすることで、丁寧さは「総括的に」決まるのです。

では、具体的に「波」をつくる方法を見てみましょう。以下は、プリンターの前で印刷物を待つ二人の同僚の会話例です。

①

A <u>Excuse me, but</u> are you waiting for the printer?
(すみません、プリンターの使用待ちですか?)

B That's okay, <u>please</u> go ahead.
(いいですよ、先に使ってください)

②

A Okay, thank you. <u>I am sorry to</u> trouble you.
(どうもありがとう。お邪魔してすみません)

B No problem.
(大丈夫です)

③

A This printer is so slow.
(このプリンター、とても遅いね)

B Yes, I know …
(ええ、本当に…)

④

A I wish we had two machines.
(機械が2台あればいいのに)

B Me too!
(その通り!)

⑤

A <u>Thank you for</u> letting me go first.
(先に使わせてくださって、どうもありがとう)

B Oh, <u>not at all</u>. Have a good day.
(いえ、とんでもないです。どうぞよい1日を)

　この会話を、丁寧レベルの「波」で表現すると、このようになります（3つの丁寧レベルについては、18ページの表をご覧ください）。

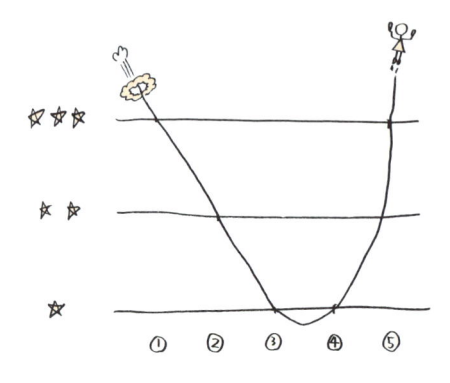

まず、①の会話は丁寧な表現（Excuse me, but 〜 / please 〜）を使い、その後、②のやり取りも比較的丁寧です（I am sorry to 〜）。③と④はカジュアルな会話が続き、最後、別れる際の⑤の会話は、丁寧な表現（Thank you for 〜 / not at all）に戻ります。

この場合は同僚同士なので、平均が★★くらいになるように、その上下を行き来する形になっています。社内の人と話すときは、このくらいの変化がおすすめの「波」です。ちなみに、上記の会話は短いので「波」と言えるほどの変化ではありませんが、長く続く場合は下の図のように、常に上下に変動するのが理想です。

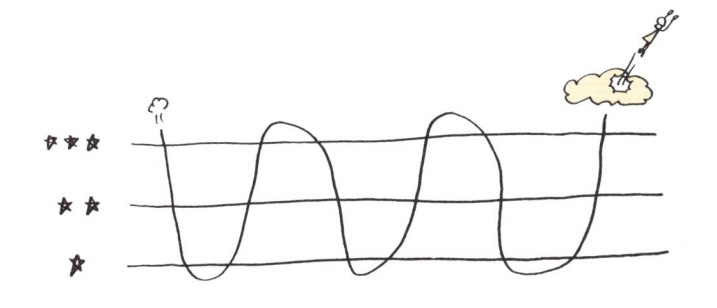

日本語では、例えば大事なクライアントに対して「ございます」のような丁寧レベルの高い形式で会話を始めた場合、それを変えずに続けるのが普通でしょう。しかし英語では、堅苦しい感じを避けるために、時折★★★から★★に下げて話します。**大切なのは「平均値」を意識することと、少し「動き」をつけることです。**

※ここでは3つの丁寧レベルを使っていますが、より上のレベル（外交官、皇族、官僚、役人、CEO［最高経営責任者］など）や下のレベル（ギャング、高校生など）も存在します。

別の会話例を見てみましょう。

A Have you had an opportunity to review the documents?
(資料に目を通す時間はありましたか?)

B I'm afraid I haven't.
(あいにく、まだです)

A Well, please let me know when you have.
(目を通したら、教えてください)

B Sure.
(了解です)

A Thanks.
(ありがとう)

B Busy these days?
(最近忙しい?)

A Not really.
(そうでもないよ)

B That's good.
(それはよかった)

A How about you?
(あなたは?)

B Same here.
(私も同じです)

最初は、AもBもクッション言葉や「格上げ」単語(Have you had 〜 [> Had] / an opportunity [> a chance] / review [> look at] / I'm afraid [> No])を使って表現しています。そして、途中からカジュアルな言葉(Sure. / Thanks.)を選び、主語を省略する話し方([Are you] busy these days? / [No, I'm] not really [busy these days].)に切り替わります。

34

このように、クッション言葉やつなぎ言葉、「格上げ」単語が、丁寧レベルに変化をもたらします。クライアントや上司相手ではそのレベルを上げ、同僚では下げますが、慣れないうちは、より丁寧な表現を選ぶとよいでしょう。これは短時間でマスターできるものではなく、経験を積み重ねて身につく感覚です。まずは、この「波」の存在を意識することから始めてみてください。

声やアイコンタクトでメリハリを

　会話の「波」を調節するのは、言葉だけではありません。声の出し方も工夫をしてみてください。トーンや大きさを調節したり、イントネーションに強弱をつけるなどの変化をつけて、できるだけ単調にならないようにしましょう。

　ジェスチャーも、「波」の調節に欠かせないコミュニケーション・ツールです。例えばアイコンタクト。皆さんはアイコンタクトを適切に取っているでしょうか？

　アイコンタクトは、会話全体の約7割で取っていれば十分です。 時々目をそらす方が相手に威圧感を与えず、自然です。相手を凝視せず、逆にずっと下を向くこともないよう、意識して調節してください。

相づちはほどほどに

ちょっとブレイク
WATER COOLER 0

　日本人は、どの国の人よりも相づちの頻度が高いと言われています。実際、アメリカ人の3倍の頻度で相づちを打つという研究結果があります。日本人は、内容への肯定・否定に関係なく、「ちゃんと聞いている」ことを示すためにうなずくことがありますが、海外で、そして特にビジネスの場面では、注意が必要です。

　一般的には**「相づちを打っている＝共感（肯定）している」**と捉えられます。そのため、相づちを打つと「全部把握している、わかっている」と思われてしまいます。話の内容を理解していない場合、誤解を招かないように相づちは控えましょう。また、相づちは相手の言葉を遮ることがあるため、迷惑に思われたり、不快感を与えたりしかねません。

　相手が相づちを打たないと不安に思う方もいるかもしれません。しかし、それがただちに「聞いていない」「理解していない」という意味に取られることはありません。日本とは、文化とコミュニケーションの習慣が違うのです。

　また、コミュニケーションにおける「間」の取り方にも違いがあります。日本語と英語では、「心地よい」「不快」と感じる「間」の長さやタイミングが異なります。日本人は比較的「間」に寛容なので、不快に感じるまでの時間が長いです。一方英語では、返事をするのに大体3〜4秒を超えると、「何も言うことがないのか」と思われ、失礼に受け取られる場合もあります。英語がスムーズに話せないうちは難しいかもしれませんが、余裕があれば、コミュニケーションのテンポにも気を配ってみてください。

CHAPTER 1

メールの基本
Email 101

　会社で、「あなたが書いたものが翌日の朝刊の一面に記載されても恥ずかしくないように！」と上司に言われたことを覚えています。特にメールは、手軽に送ることができる反面、送った相手以外の人に見られたり、何かの理由で拡散したりする可能性もあります。メール一通にしても、書き手とその人が所属する組織を代表していることを意識してください。

　とはいえ、丁寧さがすべてに勝るとはかぎりません。まだ働き始めたばかりの頃、他部署へ送るメールを完璧に作成し、何度もチェックをしてから送信しました。すると上司に、「手紙ではないから、Dear では始めないよ」と注意されたのです。社内メールを確認すると、確かにどれも、Hi や名前で始まっていました。また、社内メールでは宛名に Mr. / Ms. などの敬称を使わないことも判明しました。このような組織のルールには積極的に従いましょう。相手に信頼してもらい、コミュニケーションを円滑に行うための鉄則です。

　この章では、一般的なビジネスメールのフォーマットやルール、注意点を解説します。基本をマスターしたら、個性や人柄が垣間見えるような工夫ができるとさらによいですね。

基本フォーマット

サンプルメールを参考に、各項目を上から順に見ていきましょう。

A — To: mwilliams@xxx.com
Cc: rwoods@yyy.com
From: asato@yyy.com

B — Subject: Meeting on May 8 (Wed)

① — Dear Mr. Williams,
(cc: Richard Woods, team manager)

② — Thank you for attending the meeting yesterday.

I am preparing handouts for our meeting next Wednesday, May 8, and would like to know the planned number of participants. Would you please confirm how many members will attend from your company?

③ — I look forward to hearing from you soon.

④ — Sincerely,
⑤ — Akane Sato
Associate
Finance Division
Asahi Holdings, Ltd.
1-22-333 Marunouchi, Chiyoda-ku, Tokyo 123-4567
Tel: +81-(0)3-1111-2222
Fax: +81-(0)3-3333-4444
Email: asato@yyy.com
Web: [companywebsite].com

A 宛先(To / Cc / Bcc)

To, Cc, Bcc に関しては、わざわざ本書で触れるまでもないかもしれませんが、うっかり間違えると大問題にもなりえます。今一度、それぞれの違いを確認しましょう。

■ To =送る相手

複数の場合、一般的には重要人物や最も目上の人から順に入力します。

■ Cc (Carbon copy) =メールに返信する人ではないが、確認や参照用に送る相手

全く関係のない人を Cc に入れるのは迷惑ですので、注意しましょう。相手の読む手間を取らないためのマナーです。この欄に入れるメールアドレスは To と Cc の人も見ることができるので、お互いにメールの内容とメールアドレスが知られてよい場合に使います。

■ Bcc (Blind carbon copy) = To や Cc の相手に、メールアドレスとメールを送っていることを知らせない相手

知り合い同士でない相手や大勢に送る際、プライバシーに配慮してこの欄を使います。

大勢に送る場合、宛先をすべて Bcc に入力し、To は自分（または会社）のアドレスあるいは空欄にしたり、ダミーアドレスで Customers（顧客）や Event Participants（イベント参加者）などのネームを表示することで、個人情報漏れを防ぐという使い方もあります。

B 件名(Subject)

件名は、本文を読んでもらえるかどうかを左右する重要な項目で、工夫が必要です。件名があいまいだと読んでもらえない可能性があります。以下の3つのポイントを意識しましょう。

■**本文の内容を反映する**

本文の要点をまとめた内容がベストです。空欄のまま送ってしまわないように注意しましょう。また返信する際は、相手が返信だとわかるように、元のメールの件名を変えない方がよいでしょう。**形式は、「トピック＋目的」がおすすめです。**

■**長さに注意**

件名が長いと、メールシステムによってはプレビュー画面などでは入りきらない場合もあるので、なるべく短くしましょう。**a や the などは省いても OK です。文法的にも文章的にも完全にする必要はありません。**

■**迷惑メールと判断されないために**

迷惑メールに入るのを防ぐために、「重要度」設定（High Importance / Low Importance）を使う方法はあります。ただ、そういった機能を使わなくても、**Action Required [Requested]（お願い）や Please Confirm（ご確認ください）などと件名に記載すれば、迷惑メールと判断されにくくなるだけでなく、より相手の注意を引くことができます。**

ただし、Urgent（緊急）や Please Read（必読）、Attention（注意）などと記載してしまうと、場合によっては迷惑メールと判断される可能性があります。「!」の使用も避けましょう。以下の件名例を参考にしてみてください。

▶ Action Requested by May 21（お願い: 5月21日まで）
　※この場合のaction（行動）は、「返信、確認、書類などの提出、情報提供、調査やアンケートへの参加」などを意味します。
▶ New policy-Action Required: Review by Oct 6（新方針について: 10月6日までにご確認ください）
▶ Inquiry about your service（サービスに関するお問い合わせ）

- Room booking at the Hilton Hotel on March 8（3月8日、ヒルトン・ホテルの部屋予約）
- Report: Info Requested（報告書について: 情報提供のお願い）
- FYI: New guidelines（ご参考まで: 新しいガイドライン）
- Meeting confirmed for August 8（8月8日のミーティングのご確認）
- Appointment confirmation（アポのご確認）
- Invitation to welcome luncheon（ウェルカムランチへのご招待）
- Error on invoice #518IK（請求書#518IKのエラー）
- Reservation cancellation（予約のキャンセル）
- Thank you for your assistance（ご協力をありがとう）
- Deadline: January 30（締め切り: 1月30日）

① 宛名（Name）

本文の冒頭に記載する宛名は、相手との関係や状況、社内・社外によって形式が異なり、会社の正式・非正式のルールが存在することもあります。丁寧レベル別の基本的な書き方を参考にしてください。

★★★　Dear Mr. Johnson,（Dear+敬称+姓+カンマ）
★★　　Dear Kevin,（Dear+名+カンマ）
★　　　Hi Kevin,（Hi+名+カンマ）/ Kevin,（名+カンマ）

一般的に Dear を使うとフォーマルになり、クライアントなど社外の人宛てのメールでは Dear を使用した方が丁寧です。 ただ、会社や組織によっては Dear を使用しないこともあります。**Hi はフレンドリーな形式で、親しい人に対して使います。**

■敬称

Mr. / Mrs. / Ms. などの敬称を入れると丁寧ですが、相手との関係や状況にもよります。**相手がクライアントの場合は、「敬称＋姓」で統一した方がいいでしょう。** 女性の場合、Ms. は未婚・既婚の区

別がない敬称なので無難です。

相手が医師や博士、大学教員などでDr.（博士）あるいはProf.（教授、准教授、講師など）の敬称が付く場合は必ず使用します。その他の教員はMr. / Ms. でOKです。

■カンマ
メールの場合は名前の後にカンマを入れます。ちなみに、ビジネス文書やフォーマルな文書の場合には、コロン（:）を入れることが多いです。

注意点
■ファーストネーム
身分や立場が違っても、お互いを「同僚」として認める関係の場合は、ファーストネームで呼び合うこともあります。

■ san（さん）
相手が日本人の場合、"Suzuki san" "Suzuki-san" など、san（さん）を付けて呼ぶ場合もあります。実際に筆者が勤務した会社でも、アメリカやアジア圏のオフィスの人も日本人を「さん」付けで呼ぶことがありました。

■ Dear All
複数人宛ての場合は名前を並べるか、多数の場合はDear Allでもかまいません。ただこれは、相手との間に距離を置いてしまい、多少冷たい印象を与えかねないので、長くなりすぎないかぎりはできるだけ名前を使用した方がよいです。

■ Dear Sir / Madam
相手の名前および性別が不明のときは、Dear Sir / Madam がよいでしょう。また、To whom it may concern（関係者各位）と表

記することもあります。これは総称なので、送る側が相手について調べる努力をしていなく、あまり関心がないのでは、と捉えられる可能性もあります。

　例えば人事部の採用者にメールを送る場合、その会社や組織のウェブサイトに名前が掲載されていないかどうかを確認し、判明しない場合は To Hiring Manager（人事部採用ご担当者様）など、できるだけ明確に記載しましょう。

② **冒頭（Beginning）**
　日本語で使う時候の挨拶や「お世話になっております」などの決まり文句は不要です。 多くの場合、"Thank you for your email."（メールをいただきありがとうございます）や "This is to inform you that 〜 "（〜についてご連絡いたします）などから始まり、本文の内容につながるようにします。重要な部分を早めに述べて、相手の読む時間を短縮しましょう。

▶ Thank you for your email. Regarding [Concerning] your previous order, the items have been shipped and are expected to arrive in the first week of April.
(メールをいただきありがとうございます。前回のご注文ですが、商品は出荷されており、4月の第1週に到着する予定です)

■**添付ファイルがあるときのフレーズ**
"Please see attached file."（添付ファイルをご参照ください）はよく使われる表現ですが、具体的な情報を加えると、より親切でしょう。

▶ I am sending the meeting minutes from yesterday's board meeting.
(昨日の取締役会の議事録をお送りします)

▶ Please see the attached document for instructions on using the new system.
(新しいシステムの使用に関する添付資料をご覧ください)

■転送するときのフレーズ

メールを転送するときは必ずコメントを添えましょう。

▶ I am forwarding an email from my counterpart in the New York office. Please see below.
(ニューヨーク・オフィスのカウンターパートからのメールを転送します。下記をご参照ください) ※counterpart＝他の支店や部署で対等の立場にある人

▶ As per [mentioned] below, we have decided to run a series of lectures on business manners.
(下記の通り、ビジネスマナーに関する連続講座を開催することになりました)

▶ I am forwarding you an email with details about the luncheon next week.
(来週の昼食会に関する詳細のメールを転送します)

▶ Please see below for the minutes from yesterday's meeting.
(昨日の会議の議事録は下記をご参照ください)

③ 結び(Conclusion)

最後は挨拶や感謝の意を伝えて、親しみやすい印象で締めくくるのが一般的です。look forward to ～（～を楽しみにしています）など、少しパーソナル（私的）で、次のコミュニケーションにつながる前向きな文章で終わらせるとよいでしょう。

■返事がほしい場合

▶ I look forward to hearing from you soon.
(近々お返事いただければ幸いです)

▶ Please get back to me [us] as soon as possible.
(できるだけ早くご返信ください)

■意見を求める
▶ Please advise on 〜
(〜に関してご教示ください)
▶ We would like to hear your thoughts on 〜
(〜に関するお考えをお聞きかせいただければ幸いです)

■感謝の意を伝える
▶ Thank you for your continued support.
(引き続きご協力をよろしくお願いいたします)
▶ Again, I appreciate your assistance with this project.
(このプロジェクトにご尽力いただき、重ねて感謝いたします)

■その他
▶ Please feel free to contact me at any time.
(いつでもお気軽にご連絡ください)

④ **結辞(Complimentary close)**
　結辞は最後の挨拶として、自分の名前の前にカンマを付けて入れる言葉です。丁寧レベル別に様々な表現を紹介します。

★★★ とても丁寧(very polite)	
Sincerely yours,	最も丁寧(アメリカ式)
Yours sincerely,	最も丁寧(イギリス式)
Sincerely,	
Best regards,	
Respectfully yours,	手紙で使用
Yours faithfully,	手紙で使用
Cordially yours,	

★★ やや丁寧(polite)	
Best wishes,	
Regards,	
With regards,	
Kind regards,	
Best,	
Many thanks,	
★ カジュアル(casual)	
Take care,	メールで使用
Cheers!	イギリス式
Until then,	ではまた(そのときに)
See you then, / See you soon,	ではまた(そのときに)

⑤ 署名(Signature)

　日本では氏名の後に「会社名・部署名・役職名」の順番が一般的ですが、**英語では順番が逆になり、「役職名・部署名・会社名」となります。**

　なお、相手が自分に文書を送るときに困らないように、署名のはじめに（Mr.）や（Ms.）を付けて、性別を表示する場合もあります。

▶ (Mr.) Satoshi Kondo / (Ms.) Erica Fujii

ディスクレーマー

　文書の内容が守秘義務に値する場合や、秘密保護法によって厳正に守らなければいけない場合、会社によってはディスクレーマー（注意書き、免責事項）を記載しなければならないことがあります。ディスクレーマーには正式なフォーマットがあり、ほとんどはメールの一番下の部分、署名の後に記載されます。

▶ This message may contain information that is confidential, privileged, or otherwise protected from disclosure. If you are not the intended recipient of this message and any attachments contained therein, please promptly delete all copies in your possession and notify the sender that you have received it in error. Please be warned that any review, duplication or redistribution of this communication is prohibited. For further information on confidentiality and the risks inherent in electronic communication, please see [website].
(このメッセージは秘密または法律上の秘匿権利のある情報を含んでいる可能性があります。当該メッセージとそこに含まれる添付文書を受け取るべき方でない場合には、速やかにすべてのデータを削除し、送信者にご連絡いただきますようお願い申し上げます。このやり取りの公開、転載、転送は禁止されています。機密性及び電子通信に関するリスクについては、[ウェブサイト]をご参照ください)

また、以下のようなメッセージもたまに見かけます。

▶ Please consider the environment before you print this email or any attachments.
(環境保護のため、メールや添付ファイルの印刷物を減らしましょう)

フォーマットの注意点

　職場によっては決められたフォーマットがあるかもしれないので、組織としての統一性を保つためにも確認しましょう。多少バリエーションがある場合は、よいと思う部分を取り入れて、どのメールにも同じルールを使うことを心がけてください。

　また、メールはPCだけでなく、スマートフォンなどの端末で見ることもあります。長文は避け、できるだけスクリーンをスクロールしなくてよい分量にまとめるようにしましょう。

■段落

　段落のフォーマットにはいくつかスタイルがあります。**ブロックスタイル（左揃え）が見やすく基本的ですが**、各段落のはじめの2〜5文字分スペースを空ける、パラグラフスタイルを使用する場

合もあります。ブロックスタイルの場合は、読みやすいように各段落の間に1行分のスペースを空けましょう。

■**フォント**

　日本語の場合は日本語のフォント、英語の場合は英語のフォントで統一しましょう。部分的に変えると、文字化けしたり読みにくくなったりします。ちなみに、**英語のフォントで安全なのは、Times New Romanです**。ビジネスでは、気取ったフォントは使わない方がよいでしょう。日本語のみで使われる記号（〒、【】、〜、※など）や絵文字も避けましょう。また、**強調するために全角大文字にするのは失礼なので、使わない方が無難です。**

■**記号**

コロン（:）

　リストや説明の前に入れます。

▶ The required documents are as follows: application form, health check clearance form, copy of passport, copy of health insurance card, emergency contact information.
（必要な書類は次の通りです: 申込用紙、健康診断書、パスポートのコピー、健康保険証のコピー、緊急連絡先）

▶ To create a new folder: 1) Go to file and select "New Folder", 2) select the category in which you want to create the folder, and 3) rename the folder.
（新しいフォルダを作成する方法: 1) ファイルから「新規フォルダ」を選択 2) フォルダを作成するカテゴリーを選択 3) フォルダの名前を変更する）

セミコロン（;）

　ピリオド（.）の代用ですが、後に続く文章との関連性が高いことを示しています。

▶ There are 2 issues to consider; we should talk soon about this.
(2つの考慮すべき問題点があります。近々話し合いましょう)

▶ That sounds like a good idea; however, we need to be more realistic.
(それはよいアイデアだと思います。しかし、もっと現実的に考えなければいけません)

スラッシュ (/)

フォーマルには適さないので、避けましょう。and/or や A/B のように、「あるいは」「または」を意味しますが、できるだけ接続詞を使ってください。and/or の場合は、より適した方を選択しましょう。

× It could be A and/or B.
(AとB、またはAかBでしょう)
○ It could be A and B. あるいは It could be A or B.

× He/she will receive a notice.
(彼または彼女が知らせを受けるでしょう)
○ He or she [The person] will receive a notice.

エクスクラメーションマーク (!)

使わない方が無難です。感情を表さず、客観性を保つ方がビジネスには適しています。

ちょっとブレイク
WATER COOLER 1
その日本語、英語でどう言う?

　日本語には、英語に直訳できない言葉やフレーズがたくさんありますが、ちょっと表現を工夫すれば、その真意は伝わります。ここでは、ビジネスでよく使うフレーズを紹介します。

よろしくお願いします

　多義的で様々な場面で使えるので、よく耳にしますよね。残念ながら、英語にはこれに相当する便利なフレーズはないので、場面に応じた挨拶を使いましょう。

■どんな場面でも使えるフレーズ

▶ Thank you (in advance).
(どうもありがとうございます) ※相手が何かをする前に、あらかじめ感謝の意を伝えるときに使います。in advance(前もって)は、場合によっては相手にプレッシャーをかけているような印象を与えることがあるので気をつけてください。

▶ See you next time.
(また次回お会いしましょう)

■初対面や、同じプロジェクトやチームで働くとき

▶ Pleased to meet you.
(お会いできてよかったです)

▶ I look forward to working with you.
(お仕事ご一緒できることを楽しみにしております)

■メールで返事がほしいとき

▶ I look forward to your reply.
(お返事を楽しみにお待ちしております)

▶ I hope to hear from you soon.
(近々お返事いただけることを願っております)

■協力を仰ぎたいとき
▶ I apologize for causing you this inconvenience, but I would greatly appreciate your kind cooperation.
(ご不便をおかけして申し訳ありませんが、ご協力いただけましたら大変幸いです)
▶ I ask for your kind cooperation.
(ご協力のほどよろしくお願いいたします)

■「～さんによろしくお伝えください」
▶ Please give my best regards to [相手の上司や同僚など].
▶ Please say hello to [親しい人] for me.
※会話の相手が親しい場合にも使えます。
▶ Please convey my regards to ～.

お疲れさまです

■上司から部下、先輩から後輩に使うフレーズ
▶ Thank you for your hard work.
(仕事してくれて[頑張ってくれて／努力してくれて]ありがとう)
▶ Thank you for working [staying] late.
(遅い時間まで働いてくれて[残ってくれて]ありがとう)
▶ Great job today!
(今日はよくやったよ!)

■上下関係なく使えるフレーズ
▶ See you tomorrow.(また明日)

　廊下ですれ違うときなどに使う場合は、シンプルにHello.やHi.でよいでしょう。相手が"How's it going?"(ここでは言葉通り「最近どうしてる?」と聞いているのではなく、挨拶の一種と捉えます)と聞いてきたら、多くの場合は"Great, thank you."や"Good, and you?" "Great."など、手短に答えます。ただし、お互いにそれほど急いでいない雰囲気であったり、相手が立ち止まれば、近況や最近の仕事の話などをするのもよいでしょう。

お先に失礼します

■特に用事がないとき（通常通りの挨拶でOK）

▶ See you tomorrow.
(また明日)

▶ Have a nice weekend!
(よい週末を!)

■特別な理由で早退するとき

▶ Please excuse me for leaving early, but I have a doctor's appointment today.
(病院へ行くので、今日は早めに失礼いたします)

いつでも "Good morning"？

日本では、午後に出社しても「おはようございます」と言うのが一般的な業界や会社があります。そのような習慣は学校の部活動やアルバイトにもあるので、割と違和感なく受け入れられていますが、外国人には通用しないので気をつけましょう。Good morning は言葉通り朝の挨拶なので、正午以降は Good afternoon、夕方以降は Good evening が最適です。カジュアルに話せる相手であれば、Hi. や Hello.（より丁寧）でよいでしょう。

CHAPTER 2

招待する・依頼する
Invitations & Requests

メールを書くときは、相手の立場に立って「これを読んで理解できるだろうか？」と自問することが大事です。

例えば、木曜日にメールを送る際、"See you next Friday."（次の金曜日にお会いしましょう）と伝えると、相手は「明日？ それとも来週？」と思うでしょう。"See you Friday of next week."（来週の金曜日にお会いしましょう）や、"See you on the 15th."（15日にお会いしましょう）など、「いつ」なのかを明確に記せば、ミスコミュニケーションを防ぐことができます。

メールの文章で大切なポイントは、「簡潔に」そして「具体的に」です。

直接的な表現には抵抗があるかもしれませんが、相手がスムーズに理解できるように、あいまいな表現やわかりにくい言葉はできるだけ避けましょう。そして、ビジネスでは簡潔に物事を伝えなければいけない反面、情報の不足があってはいけません。「このくらいはわかるだろう」と考えないで、なるべく具体的な説明を心がけてください。「以心伝心」では通じません。どんな内容でも、省略せずに、そして伝え方に気をつけて、です。

01 ★★★ クライアントをランチに招待する

Subject: Nov. 3 Luncheon Invitation ｜お手本｜

Dear Mr. Park,

We would like to invite you to join our team lunch on Wednesday, November 3. ①

Would you please let us know your availability? ②

Date: November 3, Wednesday
Time: 11:30
Location: "Sushi Zen" Marunouchi Tower, 5F

We hope to see you then.

Best regards,
Satoshi Tanaka

件名：ランチのご招待（11月3日）　　パーク様
11月3日(水)に行う私たちのチームの昼食会にご招待します。①　つきましては、参加の可否をお聞かせいただけますか。②
日にち：11月3日(水)
時間：11:30
場所：「寿司 禅」丸の内タワー 5階
お目にかかることを楽しみにしております。　田中聡

①の応用フレーズ

▶ **You are cordially invited to a coffee session with the head of the department on Friday, April 9.**
――4月9日(金)に開催する、部長とのコーヒーセッションにご招待いたします。

▶ **We would be delighted if you could join the manager luncheon on Monday, October 30.**
――10月30日(月)のマネージャー昼食会にご参加いただければ幸いです。

②の応用フレーズ(返事に期限を設ける場合)

▶ **Please respond by October 20 regarding your attendance.**
――出席について、10月20日までにお返事ください。

月と曜日の略式表記
月(6月と9月に注意)

 1月=Jan 2月=Feb 3月=Mar 4月=Apr 5月=May
 6月=June(×Jun) 7月=July 8月=Aug 9月=Sept(×Sep)
 10月=Oct 11月=Nov 12月=Dec

曜日(火曜と木曜に注意)

 日=Sun 月=Mon 火=Tues(×Tue) 水=Wed 木=Thurs(×Thu)
 金=Fri 土=Sat

■luncheon=(集まりでの正式な)昼食会 ■availability=都合
■cordially=心から

02 同僚をランチに招待する

Subject: Lunch on Friday

Hi Brian,

Ken from the client services team and I are planning on getting together for lunch this Friday. Are you free to join us at 1:00 p.m.? ①

It would be great to catch up again.

Please let me know if that works for you.

Regards,
Koji

件名:金曜のランチ　ブライアンさん
今度の金曜日、顧客サービス・チームのケンさんとランチをする予定です。午後1時にご一緒できますか？① またお話しできれば嬉しいです。 ご都合を聞かせてください。 康二

①の応用フレーズ

Are you free to〜？の丁寧レベルを上げると、以下のようになります。

▶ **<u>Would you be available to</u> join us at 1:00 p.m.?** ★★★

返事のフレーズ

▶ **Thank you for inviting me to lunch this Friday.**
　——今度の金曜日のランチに誘ってくださりありがとうございます。

▶ **I would be delighted to join you.**
　——喜んで参加したいです。

▶ **I look forward to seeing you then.**
　——お会いできるのを楽しみにしています。

カジュアルなフレーズ（★）

▶ **It was nice to run into you yesterday. Wanna have lunch this Friday? Let's catch up!**
　——昨日は偶然会えてよかったよ。今度の金曜日にランチしない？　話そうよ！

▶ **Sounds great! Does 1:00 p.m. work for you?**
　——いいね！　午後1時はどう？

▶ **Can we make it 1:30 p.m.?**
　——午後1時30分にしてもいい？

▶ **Sure! Can't wait.**
　——いいよ！　楽しみにしてる。

■ get together for＝〜のために集まる
■ run into＝偶然（ばったり）〜に会う
■ catch up＝（新しい情報やお互いの近況を）知る、話す

短縮形と発音つづり

　短縮形（let'sやcan'tなど）は、カジュアルに会話できる相手には使用しても問題ありません。短縮しない方がより丁寧で、プロフェッショナルな印象を与えます。また、wanna（want toの省略形）は標準英語ではなく、口語をそのまま文字化した発音つづりです。これも、ビジネスのやり取りでは使用しないように注意しましょう。

03 イベントに招待する

Subject: Invitation to lecture by Joe Daniels　お手本

Dear Mr. Johnson,

<u>We are delighted to invite you to a lecture by Joe Daniels, CEO of Miracles, Inc. on November 21st, 2015.</u> ①

Please see the following for details of the event:
Date:　November 21st, 2015
Time:　6:00 p.m. (Venue open for reception at 5:00 p.m.)
Venue:　Auditorium, Tokyo office

Please contact me if you are interested in attending the lecture.

<u>Please note that seating is limited. Participants will be determined on a first-come-first-served basis and will receive an official invitation.</u> ②

Sincerely yours,
Tadashi Kato
Corporate Communications Division
Miracles, Inc.

件名：ジョー・ダニエルズによる講演へのご招待　　ジョンソン様
<u>2015年11月21日に開催する、株式会社ミラクルズCEOのジョー・ダニエルズによる講演へご招待申し上げます。</u>①　イベントの詳細につきましては下記をご参照ください。
日にち：2015年11月21日
時間：午後6時（受付開始は午後5時）
場所：オーディトリアム（東京オフィス）
講演へのご参加にご興味がございましたら、ご連絡くださいませ。　<u>なお、お席には限りがあり、先着順にご案内いたします。参加される方には正式のご招待状をお送りいたします。</u>②　株式会社ミラクルズ　コーポレート・コミュニケーション・チーム　加藤正

①の応用フレーズ（We are delighted to invite you to〜）

▶ **a cocktail party to welcome Nigel Williams, Vice President of Worldwide Publishing, Inc.**
　——株式会社ワールドワイド・パブリッシング副社長、ナイジェル・ウィリアムズのウェルカム・カクテルパーティー

▶ **a symposium titled "Globalization and Its Impact on Developing Countries"**
　——「グローバリゼーションと発展途上国におけるその影響」と題したシンポジウム

▶ **hear Maria Goldstein speak at our monthly lecture series on education and business**
　——マリア・ゴールドスタインによる、教育とビジネスに関する月例連続講演

▶ **the opening ceremony for the Yamamoto Import Store**
　——山本インポートストアの開店式

▶ **a dinner party at the American Embassy in Tokyo to commemorate Independence Day**
　——アメリカ大使館（東京）で独立記念日を祝う晩餐会

②の応用フレーズ

▶ **Please note that prior registration is required and registrants will receive an official invitation.**
——参加には事前登録が必要です。登録された方には、正式のご招待状をお送りいたします。

8つの素質

　人事評価の基準は企業によって様々で、ビジネスパーソンに求められる能力に関する本も多数出版されています。ここでは、あくまでも個人の意見として、外資系企業で働く人の多くに特に当てはまる素質を8つ挙げてみます（順不同）。

①コミュニケーション
クリアに、正確に、簡潔に伝えられる。聞くことも説得することもできる。

②チームワーク
目的や目標に向かってお互いに協力し合い、成功や功績は一緒に喜ぶ。

③リーダーシップ
　チームをまとめたり、モチベーションを上げたりできる。責任感があり、自分だけではなくチームが成長することも考える。
　また、各人が「自分自身のリーダーであること」も大事です。

④変化に柔軟
　そのつどパニックにならずに対応できる、タフさと成長志向がある。
　会社のパフォーマンスや状況は常に変動します。社内の環境や自分の仕事、部署やチームにも変化はありますし、思わぬことから進めているプロジェクトが変更や中止になることも十分にありえます。

⑤プロアクティブ
　自分から進んで物事を提案したり取り組んだりする。常に先回りし、積極的に行動や対話に移す。
　プロアクティブ（proactive）とは、「先を見越して行動する」ことを意味します。この大切さを深く痛感したのは、「言われたときにはもう遅い。言われる前にやらなければいけないよ」という当時の上司の言葉でした。指示を待つのではなく、リスクなども予測した上で行動することが重要です。

⑥目標設定

目標意識を持ち、達成しようと努力する。モチベーションを保ち、失敗してもあきらめずに進むことができる。

⑦学ぶ姿勢

自分のミスや弱点を受け入れ、分析し、成長しようとする。

そのためにも、リスクを恐れず、コンフォートゾーンから出て挑戦できることも大事です(comfort zone = 快適で安心できる、慣れ親しんだ領域)。

⑧自己管理

時間を管理でき、体力や忍耐力がある。

必要なときには休まないと、かえって周りに迷惑をかけることがあります。そのようなバランスも考えて管理する必要があります。

04 ミーティングを依頼する

Subject: Meeting request 　　　　　　　　　　　　　　[お手本]

Dear Ms. Johnson,

I was wondering if you would be available next week for a meeting to discuss our project. ①

Would you please let me know your availability between May 8 and 12? ②

I look forward to seeing you soon. ③

Sincerely,
Erika

件名：ミーティングのお願い　　ジョンソン様
来週、プロジェクトについてのミーティングをできればと考えております。① 5月8〜12日のご都合をお聞かせいただけますか？② 近々お会いできることを楽しみにしております。③　恵理花

①の応用フレーズ

▶ **I was wondering whether you would be available for a meeting sometime soon.**
――近々ミーティングを設けられればと考えております。

▶ **I am hoping to discuss the final preparations for the move to the new office building.**
――新しいオフィスビルへの移転の最終準備について、打ち合わせをしたいと思います。

▶ **I would appreciate 30 minutes of your time this week to talk about hiring interns.**
――今週のどこかで30分ほどお時間をいただき、インターンの採用についてお話しできれば幸いです。

②の応用フレーズ

▶ **I would like to schedule a meeting with you on Friday, August 11, at 1:00 p.m. Would you be available at that time?**
――8月11日(金)の午後1時にミーティングをしたいと思います。ご都合はいかがでしょうか？

▶ **I will give you a call in the next few days to schedule a meeting.**
――後日、お電話にてミーティングの日程を調整したいと思います。★★

③の応用フレーズ

▶ **We hope to see you there.**
――お会いできることを願っております。★★

▶ **We would be grateful if you could join us.**
――ご参加いただければありがたいです。

▶ **If you are unable to make the meeting on Friday, please let me know.**
――もし金曜日のミーティングが難しいようでしたら、その旨お知らせください。

緊急の場合

余裕を持って連絡するのが一番ですが、緊急の場合はその旨をはっきりと伝えることも大事です。

■件名には、注意を引く言葉を入れます
- Please reply ASAP（なるべく早くお返事ください）
- Urgent request（緊急のお願い）

■本文は短くしましょう。次のような文章で締めくくります
- I would appreciate your prompt response.（すぐにお返事いただければ幸いです）
- Please reply at your earliest convenience.（なるべく早くお返事願います）
  ※"I want you to reply to the email."（メールにお返事してほしいです）は失礼な表現です。

■お詫びの気持ちも伝えましょう
- I apologize for the urgency.（緊急を要して申し訳ございません）
- Apologies for the inconvenience [troubling you].（ご不便をおかけしてすみません）

返事のフレーズ（予定が合わない場合）

- **Actually, I am booked for this week, but I have more availability [flexibility] next week. Please let me know if that works for you.**
  ——実は、今週は予定が埋まっており、来週の方が調整可能です。ご都合のほど、お聞かせ願います。

- **Is it possible to change our meeting on November 8th from 9:00 to 9:30 a.m.?**
  ——11月8日のミーティングですが、午前9時から9時30分に変更できますか？

- **Unfortunately, I have other commitments that day. May I suggest next Monday? Please accept my apologies for the change.**
  ——その日はあいにく他の用事が入っています。来週月曜日はいかがでしょうか？

日程のご変更、申し訳ございません。

ミーティングではなく、少し話したいときに使えるフレーズ

相手の都合と、話せる状況かどうかを聞きましょう。

▶ **Are you able to talk now?**
　──今お話しできますか? ★★

▶ **Is this a good time to talk?**
　──今お話ししてもよろしいですか?

▶ **Are you available for a few minutes?**
　──数分ほどお時間をいただけますか?

"外資系"のイメージ

　外資系金融企業といえば、映画『ウォール街』を思い浮かべる方もいるのではないでしょうか。主人公のゴードン・ゲッコーのように、一獲千金をねらうアグレッシブで貪欲な一匹狼ばかりで、Greed is good（欲は善）の世界。利益を追求して勝ち続けることができる、タフな人しか生き残れない環境…。

　ゴールドマン・サックスはその典型、むしろその代表のように思われることもあるようですが、実際は、そんなことは全くありませんでした。一匹狼ではなく、いつもチームワークについて語るような人ばかりです。新卒で入社した人たちに話を聞いてみると、最初は「アグレッシブで冷たい感じの人が多い」イメージだったのが、面接を通して「働く人やチームワークを大事にする」会社という印象に変わり、「人間らしくて安心しました」と話す人もいました。自分に対してだけでなく、周りに対しても「一生けん命」なのだと思います。

　ゴールドマン・サックスがそうであるならば、他の外資系企業も、もしかしたらイメージに"ギャップ"があるかもしれません。実際に「ウォール街」で働いたことはないのでわかりませんが。

05 ★★ 同僚に頼みごとをする

Subject: Updates for your team [お手本]

Hi Dave,

I am emailing you to ask for your help.

I need to put together some materials for the upcoming department meeting, and need some updates from all the teams. ①

Would you please send me a few bullet points with updates for your team by next Monday, November 10? ②

If you have any questions, please let me know.

Best,
Tomoko Nakayama

件名:チームの最新情報　　デイブさん
お願いがあってメールを差し上げております。　次回の部会の資料をまとめるために、各チームの最新情報が必要です。①　来週月曜の11月10日までに、チームの最新情報を箇条書きで送っていただけますか？②　ご質問があれば、お知らせください。　中山知子

①の応用フレーズ

▶ **I am preparing for the department meeting scheduled next week, and am collecting updates from each team to share with the group.**
——来週の部会の準備をしていて、グループで共有するために各チームの最新情報を集めています。

②の応用フレーズ（Would you please〜?）

頼みごとは、同僚でもクッション言葉を使って丁寧な表現を心がけましょう。

▶ **Would you mind helping us with〜?**
——〜をお手伝いいただくことは可能ですか？

▶ **It would be helpful if you could〜.**
——〜していただければ助かります。

▶ **Is it possible to ask you to〜?**
——〜をお願いしてもよろしいでしょうか？

▶ **Would it be possible to ask for your help with〜?**
——〜をお手伝いいただくことはできますでしょうか？

返事のフレーズ（対応できない場合）

▶ **Unfortunately, I am out of the office and am unable to help.**
——申し訳ないのですが、ただ今出張中なのでご対応できません。

▶ **The materials you requested are no longer available, and I'm afraid I am not able to help you with your request.**
——ご依頼の資料は現在残っておりません。お役に立てず、申し訳ないです。

ちょっとブレイク WATER COOLER 2　英語で通じる？日本のビジネス用語

ここでは、意味や使い方に注意したいビジネス用語を紹介します。カタカナの用語は元の英語を短縮したり省略していることがありますが、英語では略さず使うことが多く、通じない場合があるので気をつけましょう。

アジェンダ＝agenda

ミーティングで話す内容や議題をまとめたリストを指します。英語でも同じ意味で使います。

▶ Here is the agenda for the meeting.
(これが会議のアジェンダです)
▶ Please refer to the agenda for today's meeting.
(今日の会議のアジェンダをご参照ください)

アフターケア(サービス)＝(user) support / customer service / help

英語にafter care / after serviceという言葉はありません。

アポ＝appointment

「アポイントメント」の略語。「会う約束」という意味は同じですが、英語でapoと言っても通用しないので、appointmentと言いましょう。

アンケート＝survey / questionnaire

「アンケート」はフランス語のenquêteに由来する言葉です。英語では通じません。

イニシアティブ＝initiative

動詞形はinitiate（始める、開始する）で、「自発性」「独創力」「ある問題に対する新たな取り組み」「構想」「戦略」などを意味します。ビジネスでは、自発的に、率先して動くときに使います。

▶ He was rewarded for taking the initiative to develop a cost-reduction plan.
(コスト削減計画を自発的に進めたことで、彼は賞賛を受けた)
▶ Please share your opinions on the group's initiative for improving communication.
(コミュニケーションの向上を目指したグループでの取り組みのために、ご意見をお聞かせください)

キャパ＝ability / capability

「キャパシティー（capacity）」の略語ですが、日本語では多義的に使われています。capacityは「物や場所などに入れることが可能な量（体積、容量、収容能力）」を意味し、スポーツや建築などでよく使われます。人の能力や才能という意味の「キャパ」は、どちらかというとability（力量、やり遂げる力や能力）やcapability（素質、潜在能力）の方が適切です。キャパシティーの場合も、capaとは言わないのでご注意を。

クレーム＝complaint

　日本語で言う「クレーム」はclaimではなくcomplaintを使います。動詞はcomplainです。ちなみに、claimは「主張する」という意味で、主に動詞として使われます。

▶ The customer made a complaint regarding the defective product.
(顧客は欠陥品に対してクレームを申し立てた)
＝The customer complained that the product was defective.
▶ Satomi claimed she has control of the situation.
(里美は、自分がその状況を収拾すると主張した)

コストダウン＝cost reduction

　「コストを下げる」という意味で使われますが、英語のcost downは言葉としても文法的にも通用しません。

タスク=task

「仕事」「課題」「役割」を意味し、英語でもほぼ同じ意味で使います。perform a task(タスクをこなす)、undertake a task(タスクを引き受ける)、complete a task(タスクを完了する)、assign a task(タスクを課す)というように使います。

▶ Here is the list of tasks we must complete before year-end.
(これが、年末までに終わらせなければならないタスクのリストです)
▶ The final task involves a user test of the questionnaire.
(最後のタスクには、アンケートのユーザーテストが含まれます)
※タスク=特定のプロジェクトや仕事の項目の単位
▶ The improved software program can perform multiple tasks at the same time.
(改善されたソフトウェア・プログラムは一度に複数のタスクを処理できます)
※タスク=コンピューターやシステムがプログラムを実行する上での単位

ノートパソコン=laptop / PC

「パソコン」は略語なので英語では伝わりません。Note PCでも伝わらないでしょう。laptop (computer)または商品名(MacBookなど)を使います。ちなみに、laptopとは「ひざ置き型」という意味です。

バジェット=budget

「予算(案)」「特定の用途に充てる経費」「許可された費用」を意味します。

▶ What is the budget for the internship program?
(インターンシップ・プログラムの予算はいくらですか?)
▶ This lists the budget for stationery for each department.
(これは各部署の文具の予算リストです)

バッファー=buffer

何か(ほとんどの場合トラブルや問題)に対して「保護機能を果たすもの」「緩衝となるもの」「刺激や衝撃を和らげる(減らす)もの」。物理的なものとは

かぎりません。serve [act] as a buffer（バッファーの機能を果たす）、a buffer against（〜に対するバッファー）、a buffer from（〜からの保護）というように使います。

▶ The client relations representative was called in to act as a buffer between the complaining customer and the sales representative.
（クレームを申し立てる顧客と営業担当者の間に立つバッファーとして、顧客対応の責任者が呼び出された）

▶ Having an extra hour before the meeting serves as a buffer for any delays.
（会議の前に1時間空けておくことで、遅れが生じた際のバッファーになる）

ブレスト＝brainstorm

「グループで意見やアイデアを出し合う」という意味では同じですが、間違っても英語でブレスト（breast＝胸）とは言わないでください。

プレゼン＝presentation

意味は同じですが、presenと略さないようにしましょう。

ペンディング＝pending

英語も同じ意味で、「保留、未決定、未解決であること」「決着のつかない状態」を示します。up in the air（宙ぶらりんの状態）に似ています。

▶ That case is pending approval.
（その案件は承認待ちです）

▶ There are some pending problems that prevents us from proceeding.
（いくつかの未解決の問題があるので先に進めません）

マター＝matter

日本語では、「それって佐藤さんマターだよね」「この件はコンプライアンス部門マターです」など、誰（どこ）が担当する仕事かを示すときに使いますが、

英語では違和感があります。Sato-san's matterとは言わずに、"We would like to ask Sato-san to take care of this issue [matter]."（この件は佐藤さんにお願いしたいです）や、"This should be raised to the Compliance Division." "This is to be taken care of by the Compliance Division."（この件はコンプライアンス部門に回します）などと表現します。

リスケ＝reschedule

日本語では「リスケジュール」つまり「スケジュールを調整する、立て直す」ことを意味します。英語では略さずに言いましょう。

リストラ＝staff reduction / downsizing / layoffs

リストラは restructure / restructuring に由来します。日本語ではほとんどの場合「首切り」を意味しますが、英語では「再編成」「再構築」「構造改革」などを意味します。restructure a company [system]（企業[システム]を再編する）、restructure a sentence for clarity（明確にするために文を書き直す）のように使います。「人員削減」の意味では使いません。

▶ Staff reduction is one part of corporate restructuring.
（人員削減は企業再編のひとつの要素です）
▶ There were many layoffs because of the bad market condition.
（マーケットの状況が悪いので、大幅な人員削減がありました）

リソース＝resource

本来は「資源」や「資料（情報源）」を意味しますが、ビジネスでは「組織の人材、物、資金」などを示します。

▶ The company does not have the resources to develop another brand.
（その企業は、他のブランドを展開するためのリソースがない）
▶ The firm invests a lot of money in human resource development.
（その企業は、人材開発に多くの資金を投じる）

CHAPTER 3

問い合わせる
Inquiries

業者や他社に問い合わせをする際は、ほとんどの場合丁寧な表現を使います。問い合わせに対して答えられない場合や断る場合も、相手に関心を持ってもらったことに感謝しつつ、状況を伝えます。

そこでぜひ使っていただきたいのが、CHAPTER 0 でご紹介した「クッション言葉」です。

例えば、I'm sorry to trouble you when you are busy, but 〜（お忙しいところお手数をおかけしてすみませんが）や、I apologize for inconveniencing you, but 〜（ご不便をおかけして申し訳ないですが）など、相手の手間を取ることへの気遣いを言い表しましょう。Thank you for taking time to deal with this matter.（本件のご対応に関して、お手数いただきありがとうございます）のように、感謝を伝えるのも丁寧です。

ただ、クッション言葉は定型的な表現でもあるので、マニュアルの文言のように受け取られてしまう恐れもあります。メールの場合は、送る前に一度読み直して、機械的な文面になっていないか確認するように心がけてください。

06 ★★★ 資料を請求する

Subject: Request for a price list 　お手本

To Sales Manager:

My name is Daisuke Inoue of Asahi Associates, and I was referred to your company by Ms. Aileen Tang of Singh and Co.

I have an inquiry regarding your products. ① Would you please send me a price list for your products? ②

I look forward to hearing from you at your convenience. ③

Sincerely,
Daisuke Inoue

件名：価格表のご請求　　営業ご担当者様
朝日アソシエイツの井上大輔と申します。Singh and Co. 社のアイリーン・タング氏にご紹介いただき、御社にご連絡差し上げております。　御社の製品についてお問い合わせいたします。① 　製品の価格表をお送りいただけますでしょうか？② 　ご都合のよろしいときにお返事いただければ幸いです。③ 　井上大輔

①の応用フレーズ

▶ **We would like to know more about your services.**
　——御社のサービスの詳細についてお伺いしたく存じます。

②の応用フレーズ

▶ **I would appreciate any information you have on your new product.**
　——御社の新製品の情報をいただければ幸いです。

▶ **It would be a great help to us if you could forward this email to the appropriate person.**
　——このメールをご担当者様に転送していただけると大変助かります。

▶ **Would you please direct me to the appropriate department regarding this issue?**
　——本件のご担当部署につないでいただけますでしょうか?

▶ **I would be most grateful if you could advise me on the next steps.**
　——次のステップについてご教示いただけると大変ありがたいです。

③の応用フレーズ

▶ **Thank you for your time and attention.**
　——お時間とご配慮をいただきありがとうございます。

▶ **Thank you for your prompt attention to this matter.**
　——本件に関して迅速にご対応いただきありがとうございます。

■refer X to Y＝XをYに差し向ける　■appropriate＝適切な

07 問い合わせに対応する

Subject: Re: Request for a price list　　お手本

Dear Mr. Inoue,

Thank you for your inquiry regarding our products. ①
It would be my pleasure to send you information about prices. ②

If you require further information or have any questions, please feel free to contact us. ③

We look forward to being of service to you in the future. ④

Sincerely,
Jane Roberts

件名：Re: 価格表のご請求　　井上様
弊社の製品についてお問い合わせいただきありがとうございます。①　価格に関する資料を喜んでお送りいたします。②　その他の情報をご希望の場合やご質問がございましたら、お気軽にお問い合わせください。③　またお役に立てることを願っております。④　ジェーン・ロバーツ

①の応用フレーズ

▶ **Thank you for your email of April 7th requesting information on our products.**
――弊社の製品情報に関して、4月7日にお問い合わせのメールをいただきありがとうございます。

▶ **We appreciate your interest in our services.**
――弊社のサービスにご関心をお寄せいただきありがとうございます。

②の応用フレーズ

▶ **Please refer to the attached file for further information about our products.**
――弊社の製品情報に関する追加の資料を添付いたしますので、ご覧ください。

▶ **We are pleased to send you a PDF brochure for your consideration.**
――ご参照までにパンフレットのPDFをお送りいたします。

▶ **Unfortunately, we are unable to send you the requested information at this time because we are currently renewing our terms of service.**
――申し訳ありませんが、現在弊社のサービス利用規約を更新しておりますため、お問い合わせいただいた資料をお送りすることができません。

▶ **Although we appreciate your interest and would like to be of service to you, we are suspending the service which you inquired about.**
――弊社のサービスにご関心をお寄せいただき感謝申し上げます。ただ、あいにくではございますが、お問い合わせいただいたサービスは中止しております。

③の応用フレーズ

▶ **We hope that the information in the attached file is sufficient.**
――添付ファイルの情報にご満足いただけることを願います。

▶ **We apologize for not being able to respond to your request.**
――ご依頼にお応えできず申し訳ありません。

④の応用フレーズ

▶ **We hope to be of service to you should the opportunity arise in the future.**

――今後、お役に立てる機会があることを願っております。

■ be of service to＝～の役に立つ
■ consideration＝考慮　■ sufficient＝十分な

遅くまで働く理由

　企業リサーチサイトのヴォーカーズが調査した「入社5年目までの社員が選ぶ『入社してよかった会社』」のランキング第2位に、ゴールドマン・サックスが入っていました（参考：ヴォーカーズ「働きがい研究所」ウェブサイト）。調査対象の現役社員からは、「社員が猛烈に働くので、自分にも自然とストレッチがきく」「若手にも裁量が大きく、一般の会社ではありえない規模の額や客を任せてもらえる」といったコメントがありました。その一方で、「残業時間は90時間であり、普段は長時間働いていることがうかがえます」とありましたが、これはおそらく平均を取っているので、証券部門や投資銀行部門の社員はもっと多いでしょう。

　ゴールドマン・サックスでは成果や成長が評価の対象なので、労働時間が長いからといって評価されるわけではありませんでした。ただ、効率がよくても、部署やチームによっては繁忙期があるので、仕事量が増えて残業せざるをえないときもあります。朝6時から深夜まで働く人もいたようです。

　ただ、これは仕事量にかぎらず、海外とのやり取りが多いことも影響しています。仕事の時間が変動しやすいのは、海外のオフィスとのカンファレンス・コール（電話会議）や、カメラを使ったビデオ・カンファレンスに出席するときです。基本的に本社のあるニューヨーク時間が優先されるため、東京オフィスは早朝か夜の遅い時間が多いのです。ニューヨークとの時差は－14時間なので、向こうの朝7時に合わせると東京の社員は夜9時のスタートとなり、サマータイムの時期になると－13時間なので、東京は夜8時スタートとなります。当然発言が求められますし、ビデオ・カンファレンスだと顔も映るので、夜遅い時間でもウトウトできません。

　社内システムを24時間モニターするIT部は、本社を介さずに各地域のオフィス同士でやり取りするので、時間は相手によって様々です。例えばロンドンオ

フィスの社員が出社する時間になると、東京オフィスの社員が仕事の引き継ぎを行います。

　ところで、オフィスの壁には主要オフィスの現地時間が表示されていたのですが、インドだけがいつもずれているように見えました。例えば東京が 2:04 p.m. のとき、インドは 10:34 a.m.。後で気づいたことですが、インドと東京の時差は−3 時間 30 分なのです。時差は 1 時間単位だと思い込んでいたので、驚きました。

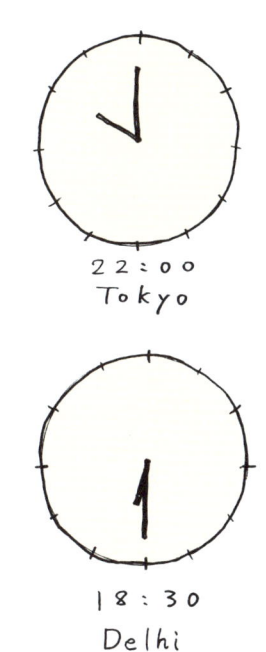

9:00
New York

22:00
Tokyo

14:00
London

18:30
Delhi

よく使う略語

ちょっとブレイク WATER COOLER 3

　ビジネスで頻出する略語を紹介します。特別な記載がないかぎり、話し言葉としても使います。

　ただし、使うときは、理解できる相手に限定してください。例えば、企業名（GS＝Goldman Sachs［ゴールドマン・サックス］）、支払い方法（COD＝cash on delivery［代引き］）、トラベル用語（VAT＝value-added tax［消費税］）は、業界や企業によっては通じない可能性もあり、不用意に使うと失礼にもなります。なおIBM（アイビーエム）やUFJ（ユーエフジェイ）は、略語の方が知られており、通称として使われているのでOKです。

ASAP＝As Soon As Possible

　「早急に」「至急」「できるだけ早く」という意味です。話し言葉で使う場合は「エイ・エス・エイ・ピー」と言いますが、カジュアルに「エイサップ」と読むこともあります。

▶ Please respond to this email ASAP.
（なるべく早くこのメールにご返信ください）
▶ Could you please take care of this ASAP?
（本件について、至急ご対応いただけますか?）
▶ I need to run to the restroom ASAP!
（化粧室に急いで行かないと!）

EOD＝End Of Day

　「就業時間の終わり」という意味です。9 to 5（9時～5時）と言うように、就業時間は通常午後5時までと考えられているので（実際はそうではないところが多いですが）、その時間を指す場合が多いです。締め切りなどに使います。相手が海外のオフィスにいる場合、タイムゾーン（時差）などを考慮することを忘れずに。同じ意味でCOB（close of business）という略語もあります。

▶ I will get this to you by EOD Thursday.
（木曜日の終業時間までにお送りします）

etc.＝et cetera

「エトセトラ」の略で、「〜など」の意味。2つ以上の事柄を列挙するときに使います。話し言葉では、カジュアルですが「イーティーシー」と言っても文脈上伝わります。

○ We need to get paper, pens, clipboards, tape, etc.
（紙、ペン、筆記板、テープなどを用意する必要があります）
× We need to get pens, etc.

FYI＝For Your Information

「参考までに」「参考情報」。「ちなみに」という意味でも使います。「参考までにお送りいたします。返信は不要です」の意味で、メールの件名や本文のはじめにFYIと入れて使うこともあります。ただし、カジュアルなので社外の人には使わない方がよいです。

▶ This is just FYI about the global conference our manager will be attending next week.
（こちらは、マネージャーが来週出席するグローバル・カンファレンスの参考情報です）

▶ FYI: Directions to party venue
（ご参考まで：パーティー会場への行き方）

▶ The new hire orientation will take place on April 1st. FYI, here are the names of the 120 new hires.
（新入社員のオリエンテーションは4月1日に行われます。ちなみに、こちらが新しく加わる120名の名前です）

Re＝Regarding

「〜に関して」の意味。メールやビジネス文書で使用します。返信メールの件名によく使われますが、文中でも使用します。ただし、文中で使う場合は社内や内輪でのコミュニケーションにかぎります。

▶ RE: Meeting on July 8
(7月8日のミーティングに関して)

▶ Please note the updates re the office move next week.
(来週行うオフィスの引っ越しに関する最新情報をご確認ください)

TBC＝To Be Confirmed

「要確認」の意味。場合によってはTBD（次項を参照）と同じように使われることもありますが、TBCは確認すべきことを示します。

TBD＝To Be DecidedまたはTo Be Determined

「後ほど決定する（すべき）こと」「未定の状態」を示します。例えば、新入社員のウェルカム・パーティーの場所がまだ決まっていない場合、招待メールにはVenue: TBDなどと書きます。

▶ The details of the staff development program are still TBD.
(スタッフの育成プログラムの詳細は未定です)

YOY＝Year-Over-YearまたはYear-On-Year

収益や財務業績などの「前年比」のことです。会話では省略せずに言うことが多いですが、略語で通じることもあります。

▶ The number was up slightly YOY, which is a good outcome given the current climate.
(数字は前年に比べてわずかに上がりました。今の環境を考慮すると、よい結果です)

カジュアルな略語もいくつかご紹介します。ほとんどがチャットやSNSなどで使うインターネット・スラングなので、ビジネスメールでは使わないようにしましょう。あくまでも"FYI"です。

BTW＝By The Way
「そういえば」「ところで」の意味です。

b/w＝betweenまたはblack and white
前者は「〜の間に」、後者は「白黒」の意味です。

IMHO＝In My Humble Opinion
「正直に言えば」「(言う権限はないかもしれませんが)私に言わせれば」「個人的な見解にすぎないですが」の意味。※humble＝謙虚な、謙遜する

▶ IMHO, I think we should just eliminate meetings and communicate updates by email instead.
(正直に言えば、会議をなくして最新情報をメールで伝えればいいと思うよ)

jk [j/k]＝jokeあるいはjust kidding
「冗談だよ」「ジョークだよ」と言いたいときに使います。

▶ Maybe we should just sneak out of the meeting and go home! JK.
(会議をこっそり抜けて帰ろうよ！　冗談だけど)

LOL＝Laugh Out Loud
「声に出して笑う」の意味。"I'm laughing out loud."(おかしくて大爆笑している)と言いたいときに使います。日本語の「(笑)」や「w」に相当します。ちなみに、ROFL(rolling on the floor laughing)は、「床に転げてひっくり返るほど、おなかを抱えて大笑いする」という意味。

Ppl＝people
▶ How many ppl are going to the lecture?
(講演には何名出席しますか?)

w/o＝without
▶ The dress code is business casual, so I will go w/o a tie.
(ドレスコードはビジネス・カジュアルなので、ネクタイなしで行こうと思います)

CHAPTER 4

電話対応
Phone calls

電話は対面の会話と比べると聞き取りにくく、口の動きや表情が見えないため、英語がネイティブの人でも誤解が生じやすいものです。

早朝の静かな時間に、上司が誰もいない個室を使って重要そうなボイスメールを録音する姿を会社でよく見かけました。ガラスのドア越しに聞こえたのは、トーンやスピード、間合い、声の強弱に気をつけて、完璧になるまで何度も録音し直す様子でした。また、会社のトップの人が全社員に向けて録音したボイスメールも完璧でした。数分にも及ぶ長いスピーチでも、決して棒読みではなく人間味のあふれる話し方だったのです。

ボイスメールと違い、電話はとっさの判断を要することも多いですが、慌てずに対応できるよう準備はしておきましょう。この章では、電話対応でよく使うフレーズを紹介します。「簡潔かつ丁寧」な表現を心がけてください。

ここで紹介する電話の相手は社外の人ですので、丁寧レベルはすべて★★★です。

電話を受ける

名乗る

[お手本]

▶ Yamamoto Associates.
(山本アソシエイツ[組織名]です)

▶ Yamamoto Associates, Chika Watanabe speaking.
(山本アソシエイツの渡辺千佳です)

▶ Satoshi Ikeda speaking.(池田聡です)
※同じ部署やチームからの電話には、ファーストネームだけでよい場合もあります。

▶ Satoshi Ikeda speaking. How may I help you?
(池田聡です。どのようなご用件でしょうか?)

▶ How may I direct your call?(どちらにおつなぎしましょうか?)
※受付や代表電話の場合。返事は"Could you please connect me with the Accounting Department?"(経理部につないでいただけますか?)など。

　電話をかけた相手が番号を間違えている可能性もあるので、Hello. だけではなく、自分の名前や組織名（場合によっては部署名も）を伝えることが重要です。社外からの電話は、組織名だけ伝えれば十分でしょう。

電話を取り次ぐ

[お手本]

▶ Just a moment, please.
(少々お待ちください)

▶ I will transfer you to Brian. Please hold for a moment.
(ブライアンにおつなぎします。少々お待ちください)

相手を待たせたとき

[お手本]

▶ Thank you for waiting.
(お待ちいただきありがとうございます)

▶ Sorry to keep you waiting.
(お待たせして申し訳ございません)

※返事はNo problem. / That's all right.（大丈夫です）

聞き取れない、速すぎる

▶ Would you please speak more slowly?
（もう少しゆっくり話していただけますか?）

▶ Could you say that again?
（もう一度おっしゃっていただけますか?）

▶ Could you please spell out your name?
（お名前のつづりを教えていただけますか?）

席外し

▶ I'm sorry, Koji is away from his desk right now. May I take a message?
（申し訳ございません、浩二はただ今席を外しております。ご伝言を承りましょうか?）

▶ I'm sorry, he's in a meeting. May I take a message or have him call you back?
（申し訳ございませんが、彼はただ今会議に出ております。ご伝言を承るか、折り返しお電話させましょうか?）

▶ I'm sorry but Janet is not available at the moment.
（申し訳ございません、ジャネットはただ今電話に出ることができません）

▶ Haruka is on another line at the moment.
（春香はただ今他の電話に出ております）

不在

▶ I'm sorry, he's currently on a business trip. Would you like to email him or leave a message?
（申し訳ございません、彼はただ今出張に出ております。メールでご連絡されますか、それともご伝言を承りましょうか?）

▶ I'm afraid she has left for the day. Would you mind calling again tomorrow?
（あいにく彼女は本日退社いたしました。また明日お電話いただけますでしょうか?）

留守録（ボイスメール）

▶ This is Daisuke Inoue. Please leave a message and I'll get back to you as soon as possible.

（こちらは井上大輔です。メッセージをどうぞ。できるだけ早く折り返します）

▶ I am away from my desk all afternoon for a training session. I'll get back to you after I return.

（午後は研修中のため席を外しております。戻り次第、折り返します）

用件を聞く（電話を取り次ぐときなど）

▶ May I ask what your call is concerning?

（ご用件を伺ってもよろしいでしょうか?）

名前と電話番号を聞く（伝言を受けるときなど）

A May I have your name (once more) and your telephone number?

（お名前とお電話番号を[もう一度]教えていただけますか?）

B Yes, my name is Vivian Bolton. The first name is Vivian, Vi-vi-an, and my last name is Bolton, Bol-ton. And my phone number is 1-808-12-31-234.

（はい、ビビアン・ボルトンです。ファーストネームはビビアン、ビ-ビ-アン、名字はボルトン、ボル-トンです。電話番号は、1-808-12-31-234です）

A Let me be sure that I have that correct. Your name is Ms. Vi-vi-an Bol-ton, and your phone number is 1-808-12-31-234.

（確認させてください。お名前はビ-ビ-アン・ボル-トンさん、お電話番号は1-808-12-31-234ですね）

B Yes, that's correct.

（はい、その通りです）

A Thank you, Ms. Bolton. I'll be sure to pass along your message.

（ありがとうございます、ボルトンさん。必ず申し伝えます）

　　名前を聞くときは、必要であればつづりを聞くなどして再確認しましょう。時間がかかり面倒に思うかもしれませんが、誤った情報

を記録して失礼なことにならないためにも、念には念を入れる方が安心です。

　名前を言うときは細かく音節ごとに発音し、間を置いてわかりやすいように伝えます。例えば名字が槙島（まきしま）の場合、Ma / ki / shi / ma のように音節で区切って言いましょう。バーダマンの場合も、V-a-r-d-a-m-a-n ではなく、Var / da / man と言います。

電話を切る

▶ Thank you for calling.

（お電話いただきありがとうございました）

▶ Good-bye.

（失礼いたします）

※ Bye-bye. はビジネスではややカジュアルなので、避けた方がよいでしょう。

電話をかける
名乗る

▶ This is Yuko Kojima speaking. May I please speak to Emily?

（小島優子と申します。エミリーさんはいらっしゃいますか?）

相手が不在のとき

▶ Would you please let him know I called?

（電話があったことをお伝えいただけますか?）

▶ May I leave a message?

（伝言をお願いしてもよろしいでしょうか?）

▶ Could you convey [pass along] a message for me?

（メッセージをお伝えいただけますか?）

ちょっとブレイク
WATER COOLER 4

ののしり言葉とPC

英語には**ののしり言葉(swear [curse] words)** が多く存在します。英語を話す人たちと関わる中で、何らかの場面で耳にする可能性はあるでしょう。映画や音楽でも耳にするので、意味をきちんと理解せず「かっこいい!」とマネする人もいます。しかし、それが例えば特定の人を激しく痛めつけたいという意味だったら、どうでしょうか。

ここでは様々なののしり言葉を紹介しますが、もちろん使うことをすすめるわけではなく、本来の意味を理解していただくためです。職場などで万が一聞いたとしても、自分からは言わないようにしてください。日本語で常識的に言わないことは、英語でも言わないと考えましょう。

damn / hell / God / Jesus

怒り、憤り、失望、驚きなど、強い感情を示すときの言葉です。God(神)やJesus(イエス・キリスト)は宗教の言葉ですが、感情表現として使うべきではありません。

英語には、ののしり言葉を直接使うことを避けるための婉曲表現(euphemisms)があります。例えば、damnはdarn、hellはheck、Godはgosh、JesusはgeezのIように言い換えます。これらの代替言葉はより柔らかく、相手を気遣うことができます。

shit / fuck(ing)

強調するときに使う言葉です。何かを強調するのに効果的ではありますが、大変失礼で不快感を与え、どのような場面にも適しません。婉曲表現を使うことは問題ありません。shitはshoot、fuckingはfreakingと言い換えます。例えば、シャツにコーヒーをこぼしたら、"Shoot!"と言うのは問題ありませんが、"Shit!"は避けましょう(そのような場面でとっさに出てくる言葉は「あち(熱い)!」など、日本語の可能性が高いですけどね)。

ポリティカル・コレクトネス(Political Correctness / PC)という言葉をご存じでしょうか。直訳すると「政治的妥当性」ですが、**性別、宗教、年齢、人種、民族、職業、障がい、性的指向などに対する差別・偏見、そして屈辱的な表現を含まない公平な表現や言葉遣いのことを指します。**

　PCは相手と平等に接し、敬意を示すための言葉でもあるので積極的に使いましょう。そして、差別用語は絶対に使わないよう気をつけてください。差別用語は時とともに変化するので、常に更新する必要があります。ここにすべてを記載することはできませんが、使用頻度の高いPCを紹介します。

人種、民族

　現在、「黒人」を示す際に公平な言葉は **African American**、**black American**または**blacks**です。「白人」を示す言葉は**white American**(アメリカ人の場合)か**whites**。「スペイン語圏の人」を示す際には**Latinos**(女性の場合はLatinas)。時に**Hispanics**を使いますが、最近はそれほど容認されなくなっています。

身体

　身体障がいに関しては、その人が「能力を持っている」(with abilities)ことを表し、そして「平均的な」人の能力を持っていないことを強調しないことが、ポイントです。**challenged**には「挑戦を受けた」という肯定的な意味が含まれるので、ふさわしい表現でしょう。

	○	×
手足の不自由な	physically challenged	crippled
盲目	visually challenged	blind
障がいのある	a person with a handicap	handicapped

性別

　役名や職種に関しては、語尾にmanが付くものが多いですが、男性だけがその役名や職業につくわけではありません。性別的でない表現を使いましょう。

	○	×
ビジネスパーソン	businessperson / professional	businessman / businesswoman
セールスパーソン、店員	salesperson	salesman / saleswoman
議長、会長、理事長	chair / chairperson	chairman
守衛	security guard	guardman
(所有格)	his or her / their / the	his

CHAPTER 5

謝罪する
Apologies

　日本人はよく謝る習慣があるように感じます。実際にビジネスで、「申し訳ございません」や「すみません」といった言葉を使う場面は多いでしょう。

　言語学では、「謝罪（apologies）」と「断る（refusals）」はコミュニケーションの中で最もストレス度が高いと言われています。それが母国語でなく外国語となると、さらに気が重くなりますよね。

　英語で謝罪するときに気をつけたいのは、「とにかく謝っておく」という態度を取らないことです。"I am very sorry." を連発すると、その場しのぎに捉えられてしまいます。また、必要以上にかしこまっている感じが、逆に不真面目で不誠実な印象を与えかねません。ミスや過ちが比較的軽い場合は "I am sorry." や "I apologize (for) 〜." ですみますが、そうでなければきちんと謝罪内容を説明しましょう。「言い訳」ではなく、状況の理解と今後どう改善するかについて、誠意を込めて伝えます。

　謝罪やクレーム対応には、基本的に丁寧レベル★★★を使いましょう。直接会って伝えるか電話が好ましいですが、まずはメールを送り、電話などでフォローしてもよいでしょう。

08 ★★★ 一般的に使える謝罪文

Subject: Apology for incorrect information　お手本

Dear Mr. Silverman,

I would like to express my sincere apologies for failing to send you the correct product information related to your recent purchase. ①

Please be assured that our department has made every effort to resolve this issue and we assure you that it will not happen again. ②

Please do not hesitate to contact us if you have questions or concerns.

Sincerely,
Sho Katase
Customer Relations

件名：誤情報のお詫び　　シルバーマン様

このたびは、最近ご購入された商品に関して正しい情報をお送りせず、誠に申し訳ございませんでした。① 　本件の解決に弊部門で力を尽くしましたことをご理解いただきたく、また再発防止に努めます。② 　ご質問やお気づきの点がございましたら、ご遠慮なくご連絡くださいませ。　カスタマーリレーションズ　片瀬翔

①の応用フレーズ

▶ **I [We] deeply apologize for the delay.**
　――遅れましたこと、深くお詫び申し上げます。

▶ **Please accept my deepest apologies for causing this inconvenience.**
　――ご迷惑をおかけしましたことを心よりお詫び申し上げます。

▶ **Please accept our apologies for the errors in the previous newsletter. A correction will appear in the next issue. We regret any inconvenience this may have caused you.**
　――前回のニュースレターに誤りがありましたこと、お詫びいたします。次号に訂正を掲載いたします。ご不便をおかけして申し訳ございません。

▶ **Apologies for the inconvenience.**
　――ご不便をおかけして申し訳ありません。

②の応用フレーズ

▶ **Thank you for your patience and understanding.**
　――お時間をいただき、またご理解いただきましたことに感謝申し上げます。

▶ **I would like to adjust [fix] this to your satisfaction.**
　――ご満足いただけるよう、改善に努めます。

▶ **Your business [Our relationship with you] is important to us.**
　――御社との関係を大切にしていきたいと存じます。

■ fail to＝〜し損なう　■ assure X that＝Xに〜を保証する
■ hesitate to＝〜するのをためらう　■ patience＝辛抱
■ adjust X to Y＝XをYに合わせて調整する

09 支払い漏れに対する謝罪

Subject: Apology for missed payment　　お手本

Dear Mr. Chan,

Thank you for your email dated April 9th concerning a missed payment for our recent order. ①

We are currently investigating this issue and will reply to you as soon as possible.

We apologize for the inconvenience.

Sincerely,
Minako Kobayashi

件名：支払い漏れのお詫び　　チャン様
最近の注文の支払い漏れに関して4月9日にメールをいただきありがとうございました。①　現在調査しており、なるべく早くお返事いたします。ご迷惑をおかけし、申し訳ございません。　小林美奈子

①の応用フレーズ

▶ **I appreciate your pointing out the error. I am sorry for the inconvenience.**
——誤りをご指摘いただき感謝申し上げます。ご不便をおかけして申し訳ございません。

▶ **Thank you for alerting us to the problem and for your understanding.**
——問題をご指摘いただき、またご理解いただきましたこと、感謝申し上げます。

▶ **Thank you for your email. A careful review of our report documents revealed the erroneous statistics. We apologize and will make the corrections as soon as possible.**
——ご連絡いただきありがとうございます。報告書を精査した結果、統計に誤りが判明しました。お詫びするとともに、迅速に修正をいたします。

regretを使った謝罪のフレーズ

▶ **I regret (to inform you) that〜. / It is with regret that〜.**
——〜したことをお詫びいたします。

> ### 言葉で伝えよう
>
> 　日本は「ハイコンテクスト文化（high-context culture）」の国と言われています。「ハイコンテクスト」とは、コミュニケーションを取る際にコンテクスト（文脈）に頼る傾向が強いという意味です。つまり、**言葉で完全に説明しなくても、雰囲気や感情、共通する文化や認識といった非言語的要素によって、意図を伝えられるということです。**「察する」や「空気を読む」「以心伝心」といった表現は、日本独特の文化を表しています。「これやって」「それはちょっと…」「これってちょっとあれだよね」などで会話が成り立つことはよくありますよね。企業にも、明文化されていない暗黙の了解やルールがよく存在します。
>
> 　一方、英語を話す文化はローコンテクスト（low-context）で、言葉によるコミュニケーションに重きを置きます。**英語圏では日本に比べて様々な文化や背景、認識を持つ人が生活や仕事をしているため、より直接的に言語化しないと伝わらないからです。**ミスコミュニケーションを防ぐためにも、「これは言わなくても通じるかな」などとは思わず、言葉にして伝える習慣を身につけてください。

10 ★★★ 調査後の謝罪

Subject: Follow-up on missed payment　　お手本

Dear Mr. Chan,

Thank you for your patience regarding a missed payment. On checking our records, we can confirm that the payment of $4,000 has not been made to your account. We have now credited the amount to your account and this will be reflected on your next statement.

We apologize for this unfortunate error and any inconveniences this may have caused.

Should you have further questions or concerns, please do not hesitate to contact us.

Sincerely,
Minako Kobayashi

件名：支払い漏れの調査報告　　チャン様

支払い漏れについて、お時間をいただきありがとうございます。記録を確認しましたところ、確かに4,000ドルのお支払いは未済でした。この金額を貴口座に振り込みましたので、次の明細書に反映されますことをお知らせいたします。　このたびはこのような不備によりご不便をおかけしましたこと、お詫び申し上げます。　ご質問やお気づきの点がございましたら、ご遠慮なくお申し付けください。　小林美奈子

責任やミスを認めるときのフレーズ

この後に謝罪の意を示しましょう。

▶ **I acknowledge my responsibility.**
——私に責任があったことを認めます。

▶ **I realize I have made a mistake. / I admit I was mistaken.**
——私に誤りがあったことを認めます。

責任を回避するときのフレーズ

他の人を名指しして責任を押し付けることは、言語を問わず好ましくありません。できるだけクッション言葉を使い、自分の理解を説明しましょう。

▶ **I don't believe this is for me to decide.**
——私が判断することではないように思われます。

▶ **I'm afraid this is not part of my responsibilities.**
——恐れ入りますが、これは私の責任の範疇ではございません。

返事のフレーズ

▶ **Your apology was appreciated, and I thank you for your consideration [thoughtfulness].**
——謝罪いただき、またご配慮いただきありがとうございました。

▶ **Thank you for your email and kind words.**
——メールをいただき、またご丁寧にご説明いただきありがとうございます。

▶ **Thank you for your understanding.**
——ご理解くださりありがとうございます。

11 ミーティングに遅れたお詫び
（直接謝罪した後のフォローとして）

Subject: Apology for delay

Dear John,

I am writing to express my sincere apologies for arriving late to our meeting yesterday. It was unavoidable because of a family emergency, and I hope you will understand the circumstances.

I look forward to seeing you at the office on Monday.

Sincerely,
Satoko Endo

件名：遅刻のお詫び　　ジョン様
昨日はミーティングに遅れてしまったこと、心よりお詫び申し上げます。家庭の急用でやむを得ず、ご理解いただけましたら幸いです。　月曜日にオフィスでお会いできること、楽しみにしております。　遠藤聡子

謝罪の4つのポイント
①謝罪の言葉を述べる
②失敗と責任を認め、理由や原因を述べる
③同じ失敗や過ちを繰り返さないことを伝える
④責任の取り方や埋め合わせの仕方を述べる

基本的に①は必須ですが、他の項目は状況に合わせて適切なアプローチを取ります。

■unavoidable＝避けられない　■circumstance＝事情、状況

ダイバーシティー

日本でも、ダイバーシティー（多様性）という言葉をよく見聞きするようになりました。人材に関して言うと、国や年齢、バックグラウンドだけでなく、価値観や能力、発想などの面でも、ダイバーシティーを重要視する企業は増えているように思います。そのため人事採用では、高学歴の人や一流企業に勤めた経験のある人ばかりが求められるとはかぎりません。

例えば、会社で関わりのあったある部署では、"think out of the box"できる人に一目置いていました。既存の考え方や枠組み（＝box）に縛られず、想像力や個性を生かしてアイデアを出せる人のことです。"cookie cutter"（クッキーの型のように、型にはまり、似たり寄ったりで特徴のない人のこと。日本語の「金太郎飴」と同じイメージですね）ばかりでは、新たなアイデアが生まれず、会社も成長しません。「ちょっと変わった人」は、ダイバーシティーに欠かせない存在なのです。

また、外資系の企業だからと言って、採用される人は留学経験があり、日本や海外のトップ校出身で、帰国子女あるいはMBA取得者やインターンシップ経験者ばかりではありません。一度も海外へ行ったことがない人もいましたし、逆に外国で生まれ育ち、一度も日本に来たことのない人にも、同じようにチャンスが与えられていました。

12 ★★★ ミーティングの日程を急に変更する

Subject: Rescheduling the meeting

お手本

Dear Mr. Cooper,

Please excuse the short notice, but I need to ask you to reschedule our meeting because of a family emergency. I hope you will understand the circumstances.

I am available in the afternoons of August 2nd and 3rd. Please let me know what day and time is convenient for you.

I am sorry to trouble you, and look forward to hearing from you soon.

Sincerely,
Makoto

件名：ミーティング日程の変更　　クーパー様
直前のご連絡をお許しください。家庭の急用により、ミーティングの日程を変更させていただきたく存じます。何卒ご理解いただければ幸いです。私は8月2日と3日の午後が空いております。ご都合のよろしい日時をご教示ください。　ご迷惑をおかけして申し訳ございません。お返事をお待ちしております。　真

101ページの「謝罪の4つのポイント」のうち、この場合は①と②、そして④（代替日程の提案）を満たしています。大事なクライアントや多忙な人が相手であれば、③を付け加えてもよいでしょう。

贈りものには注意

日本では顧客や取引先などに挨拶するとき、お菓子などの手土産を持って行く習慣がありますが、海外では賄賂だと思われる可能性があります。特に取引の約束をしていないのに贈りものを渡すと、それで仕事を得ようとしているなどの下心があるように捉えられます。また、何かを依頼するときに渡せば、引き受けることを当然だと思っているようにも捉えられかねません。それによって、相手を断りにくい立場に置かせてしまうこともあるでしょう。

欧米では、お世話になった人や仕事関係の人、取引先などにお中元やお歳暮を贈る習慣がありません。私の知るかぎり、外資系企業では日本のようにお中元、お歳暮などの習慣はありませんでした。また、コンプライアンスの問題にもなりかねないので、本社から厳しく禁止されているところもあるそうです。「個人的に自費で贈るから大丈夫」などと思い込まず、組織のルールやポリシーを必ず確認してください。

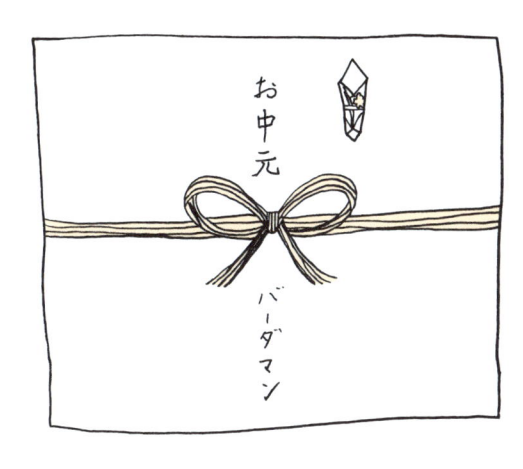

13 ★★★ 送信済みのメールの内容に誤りがあった場合

Subject: Winter Charity Run (Resend) 　お手本

Earlier today, you may have received the following email from the HR Employee Affairs Team about the McKinley Finance Corporation Winter Charity Run. The file with the employee participation consent form was inadvertently left off the email. The form is attached to this email. We apologize for any inconveniences caused and appreciate your willingness to support the Charity Run again this year.

Dear All,

As the holiday season approaches, we are now preparing for the Winter Charity Run. (Message follows)

件名：ウィンター・チャリティー・ラン（再送）
本日、人事採用チームから、マッキンリー・ファイナンス・コーポレーションのウィンター・チャリティー・ランに関する下記のメールを受け取っているかと思います。不手際により、社員の参加同意書のファイルが添付されていなかったため、本メールに添付いたします。ご不便をおかけしたことをお詫びするとともに、本年もチャリティー・ランにご支援いただけますことを感謝申し上げます。　各位 休暇シーズンが近づき、ウィンター・チャリティー・ランの準備を行っているところです。（以下メッセージが続く）

送信済みのメールにファイルの添付漏れがあり、ファイルを添付し再送したものです。謝罪のメッセージの下に元の文章が続きます。件名には"(Resend)"（再送）と記載しましょう。冒頭のメッセージは斜体にすると、元の文章と区別されてわかりやすいです。

■ inadvertently＝不注意に、うかつにも　■ willingness＝意志、意欲

エレベーター・スピーチを用意しよう

　会社のエレベーターに乗り込んだら、隣に社長がいた ―― そんなとき、あなたは見て見ぬふりをしますか？　それとも意を決して話しかけますか？　何百人、何千人の社員をリードしている人と話をする絶好のチャンスです。また、これからの仕事によい影響をもたらすような「一生もの」の言葉やヒントが得られるかもしれません。相手から話しかけてくる可能性だって大いにあります。

　そのようなチャンスを無駄にしないためにも、30秒程度のエレベーター・スピーチ（Elevator speech）を用意することをおすすめします。自己紹介に始まり、自分の部署や担当分野に関する最近のニュースを話すと自然でしょう。また、朝のニュースや新聞で見たトピック、相手がそのときに持っている本など、何気ない話題を振るのも効果的です。相手に気づくこと自体が印象に残り、自分のPRにもなります。また、相手が海外から来ている場合、How are you enjoying your stay in Japan?（日本での滞在はどうですか？）など、気の利いた質問をするのもよいでしょう。印象づけをねらうなら、ちょっとした（無難な）ジョークを言ってみるのもありです。

　自分で原稿を用意して練習しておくと、いざというときでも緊張せずに話せるようになります。参考までに、例文をいくつかご紹介します。

▶ Excuse me for asking, but are you Mr. Petersen? [相手が答える] Hello, my name is Hiroaki Ando, and we've exchanged several emails regarding the event next week. It is nice to meet you in person.
（失礼ですが、ピーターセンさんですか？　安藤浩明です。来週のイベントについてメールでやり取りをしましたね。お会いできて嬉しいです）

▶ Good morning. Excuse me, but are you a Boston Red Sox fan? I happened to see the logo on your key ring. I am a fan myself, so I was wondering.
（おはようございます。失礼ですが、ボストン・レッドソックスを応援していらっしゃるのです

か? お持ちのキーホルダーにロゴがついていたのを見たもので。私もファンなので気になりました)
- ▶ That is a beautiful necktie. Are those *origami* cranes? I have never seen anything like it before.
  (素敵なネクタイですね。もしかして折り鶴の柄ですか? 初めて見ました)
  ※男性の場合は、女性の服装や容姿には触れない方が無難です。セクハラと捉えられてしまう可能性があります。
- ▶ It sure is nice weather, isn't it? Have you been to *ohana-mi*?
  (よいお天気ですね。お花見へ行ったことはありますか?)
- ▶ Have you seen the large groups of young Japanese people in suits lined up in front of the auditorium? It's recruiting season for new graduates in Japan, so university students are here to attend our recruiting event today.
  (講堂の前に並んでいる大勢のスーツを着た若者のグループを見ましたか? 今日本では新卒採用の時期なので、今日は大学生がうちの就活イベントに来ているのですよ)

ちょっとブレイク
WATER COOLER 5

よく使うビジネス用語

　業界に関係なく使われるビジネス用語をいくつか紹介します。使用頻度はその時々で常に変化するので、日頃から英語でニュースや新聞をチェックし、ボキャブラリーを増やせるとよいですね。ただ、あまり使いすぎるとくどいと思われ、嫌がられる場合もあるので、適切な場面や文脈で使うようにしてください。

benchmark＝基準
　価格や評価などを他と比較するときに使います。

　▶Apple set a benchmark for computer products.
（アップルはコンピューター製品のベンチマークを設けた）
　▶Many investors use the S&P500 Index as a benchmark to evaluate stocks since it includes the stocks of 500 of the largest (and often highest-performing) companies that are listed on the U.S. stock exchanges.
（投資家の多くはS&P500指数を株価の評価基準にする。なぜならそれは、アメリカの株式市場に上場している大手の[そしてしばしば業績の最もよい]企業500社の株を集めているからだ）

best practices＝よい結果をもたらすための（他よりも優れた）手法やテクニック
　▶I'd like to share some best practices for updating files in the shared folders.
（共有フォルダ内でファイルをアップデートするために便利な方法を、いくつか共有したいと思います）

buy-in＝（行動やアプローチ、アイデアなどへの）支持や同意

▶ We need to ask for the client's buy-in before moving forward with the plan.
（計画を進める前に、クライアントの同意を得る必要があります）

heads-up＝注意勧告、警告

「警告・注意」という意味ですが、実際には「予告」の意味合いで使われることがほとんどです。相手の予測・期待をコントロールし（manage expectations）、どのような行動や結果が現実的かを知ってもらうことで、ミスを防ぐだけでなく、お互いに仕事がしやすくなります。メールや口頭でも使います。

筆者が働いていたチームでも、日本語で「ヘッズアップですが…」「〇〇さんにヘッズアップを送っておきます」などと使っていました。

メールの場合：
▶ This is a heads-up that the building will be closed for maintenance on Saturday, May 21.
（5月21日[土]、当ビルはメンテナンスのため入館できませんのでご注意願います）

会話の場合：
▶ I just wanted to give you a heads-up that there might be a meeting first thing in the morning.
（ちょっとお知らせしたいのですが、明日の朝一にミーティングがあるかもしれません）
▶ Okay, thank you for the heads-up.
（了解です、お知らせをありがとう）

leverage＝（人のスキルや環境、システム、状況などを）うまく活用する

本来は「てこ入れする」という意味です。よい結果を求めて「利用する」「コントロールする」というニュアンスで使われることもあります。

▶ I think you can <u>leverage</u> your technical skills to facilitate the project.
(あなたのテクニカルスキルを生かして計画を促進できるのではないでしょうか)

▶ We can <u>leverage</u> our strong relationship with client A to gain new clients.
(新たなクライアントを獲得するために、クライアントAとの強力な関係を生かすことができます)

milestone＝節目

▶ The promotion marks a <u>milestone</u> in Satomi's career.
(昇進は、聡美のキャリアの節目になる)

▶ The establishment of the Japan branch was a <u>milestone</u> for the firm.
(日本支社の設立は、会社の節目でした)

mission＝使命、目標

▶ It is the organization's <u>mission</u> to raise awareness of the importance of customers.
(顧客の大切さに対する意識を上げることが、組織の使命です)

ownership＝仕事に対する責任

「所有権」という意味もあります。

▶ We can't just leave this hanging; someone needs to take <u>ownership</u> of the issue.
(このまま未解決の状態にはできません。誰かがこの問題の対応を引き受けなければなりません)

stakeholders＝利害関係者

社員、投資家、顧客など、企業やビジネスに関係していて、その成果に関心のある人のことを指します。

▶ We need to involve stakeholders at an early stage to develop this plan.
(この計画を進めるために、早い段階からステークホルダーを巻き込む必要があります)

workflow＝仕事(作業)の流れ

▶ We can eliminate some tasks and combine others to make the workflow more efficient.
(タスクをいくつか省いたり、その他のタスクを組み合わせたりすることにより、作業の効率が向上されます)

▶ We can assign specific tasks in the workflow to individual members of the team to move this project forward.
(ワークフローの特定のタスクをチームの各メンバーに割り当てて、このプロジェクトを進めることができます)

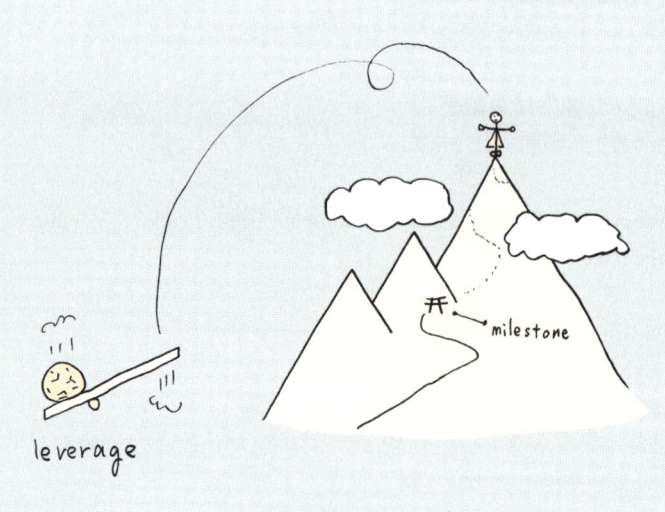

CHAPTER 6

確認する・催促する
Confirmation & Reminders

　日々多くの仕事をこなしていると、どうしてもスケジュール通りにいかず、確認や催促のメールが来て焦る経験は誰にでもあると思います。

　reminder（思い出させるための注意）は、催促するときによく使う言葉です。"This is a gentle reminder 〜 " や "Just a friendly reminder that 〜 " という文章で始まるメールには、いつもドキッとします。「ご存じかとは思いますが、念のためお知らせします」といったニュアンスで、フレンドリーで丁寧なクッション言葉です。しかし、小心者の私には「期限が近い（過ぎている）ので急いで！」といった最終通告に聞こえてしまうのです。件名にReminder: と書いてあると心拍数が上がり、恐る恐るメールを開いて「来週のランチセッションへの参加をご希望の方は…」といった内容だとわかっても、しばらくは気が抜けません。

　受け取り方は人によって様々ですので、特に確認や催促の連絡をするときには、どんな相手であっても常に丁寧な言い回しを使いましょう。相手の気分を害せず、お互いによい関係を保つためにも、ここで紹介する丁寧表現をぜひ取り入れてください。

14 ミーティングの内容を確認する

Subject: Follow-up on agreement　　　お手本

Dear Nigel,

To follow up on our discussion yesterday about implementing the new ABC application for the company-wide system in Japan, I would like to confirm that we agree on the following points: ①

1. Implementation date scheduled on January 4, 2016
2. Simultaneous implementation across all regions and divisions in Asia
3. Japan Technology Systems Team to nominate one representative (VP level) to head the support team

If you have any concerns, additions or comments, please let me know at your earliest convenience. Once I hear from you, we will proceed accordingly. ②

Sincerely,
Atsushi Kiyokawa
On behalf of the Japan Technology Systems Team

件名:合意事項のご確認　　ナイジェル様

全社システムへの新しいABCアプリケーションの日本での導入に関する昨日の打ち合わせに関して、合意に達した内容をご確認いたします。①

1．2016年1月4日に導入予定
2．アジアのすべての地域と部署で同時に導入
3．サポートチームの統括として、ジャパン・テクノロジー・システムズ・チームから代表(ヴァイス・プレジデントレベル)を一人選出する

お気づきの点や補足事項、コメントなどございましたら、お早めにお知らせください。お返事をいただき次第、作業を進めます。②　清川淳司　ジャパン・テクノロジー・システムズ・チームを代表して

①の応用フレーズ

▶ **I appreciate your time last week to discuss the joint project. I am writing to follow up on our conversation about the proposal.**
——先週は、合同プロジェクトについて打ち合わせのお時間をいただきありがとうございました。計画に関してお話ししたことをご確認します。

▶ **Just a note to remind you of our team meeting today at 4:30 p.m.**
——本日午後4時30分に行うチーム会議のリマインドです。★★

▶ **I just wanted to follow up on this.**
——この件についてご確認したいと思います。★★

▶ **Just a friendly reminder to bring your lunches to the meeting on Wednesday.**
——水曜日のミーティングにお弁当(ランチ)を持参するようリマインドします。★★

②の応用フレーズ

▶ **If you have any questions following our discussion, please let us know.**
——打ち合わせに関してご質問がございましたら、お知らせください。

■follow-up＝事後の調査や確認の連絡　■accordingly＝それに応じて

15 返事を催促する

Subject: Returns of incorrect orders

Dear Mr. Williams,

I am emailing to inform you that we have not yet received a reply to our email of September 9th, 2015 concerning returns of incorrect orders. ①

I would be grateful if you could please give this matter your prompt attention. ②

I look forward to hearing from you.

Sincerely,
Yasuhiro Uchida

件名:誤って届いた商品の返品　　ウィリアムズ様
2015年9月9日に、誤って届いた商品の返品についてメールをお送りしたのですが、まだお返事いただいていないことをお知らせいたします。① お早めにご対応いただけましたら幸いです。②　お返事をお待ちしております。　内田安弘

①の応用フレーズ

▶ **On July 8, I emailed you about the renewal of our contract. As I have had no response, I am wondering if you received the email.**
——7月8日に、契約の更新に関してメールを差し上げました。まだお返事をいただいていないのですが、メールは届いておりますでしょうか。

▶ **Would you please let me know if you received the email, and if not, if you are still interested in renewing the contract?**
——メールが届いているかお知らせいただくか、届いていない場合は契約をそのまま更新されるかどうか、ご連絡いただけますでしょうか?

②の応用フレーズ

▶ **We understand that you are very busy, but we would appreciate your response at your earliest convenience.**
——ご多忙かとは存じますが、お早めにお返事いただけるとありがたいです。

冷え性はつらいよ

　肌寒い季節なのに、Tシャツ1枚で街を歩く外国人(特に欧米系)を見かけること、ありませんか? オフィスの中でも同じで、外国の方は暑がりで、冷房好きという印象がありました。キンキンに冷えて寒い会議室に入るなり、"Ah, it's nice and cool in here!"(あー、この中涼しくて心地いい!)と喜ぶ人がいるかと思えば、マネージャーなどの個室は冬でも冷房をつけていて、冷蔵庫のようでした。その個室から冷気が漏れ、部屋の前に座っている人たちが毛布や膝かけで防寒対策をしている光景もよく見かけたほどでした。

　体温が高いのか、体感温度が違うのか、代謝がよいのか…科学的な裏付けがないかネットで調べましたが、専門的な研究は見つかりませんでした。寒い国に住む人は熱をつくり出す脂肪細胞を持つという研究結果があるようですが、寒い国の出身ではない外国人も冬に半袖なので、十分な理由にはならないですよね。

　「半袖外国人の謎」や「外国人の不思議」と題したブログや新聞、まとめサイトの記事はいくつか存在したので、不思議に思う人はやはり多くいるようです。筋肉量や脂肪量の違いなのか、保温能力があるのか、それとも慣れなのか…ちなみに私は1年間ハワイで生活したときのスタイルが日常化し、帰国後、冬でもビーチサンダルで過ごそうと決めていましたが、10月初旬で諦めました。

16 支払いを催促する
★★★

Subject: Your order #C3481202

お手本

Dear Mr. Wilson,

We write to inform you that it appears that we have not yet received payment for your order #C3481202 due on June 29th. ①

We understand this may be an oversight, but must ask you to give this matter your prompt attention. ②

If the payment has already been made, kindly disregard this email.

We appreciate your attention to this matter.

Sincerely,
Shinya Watanabe

件名:ご注文(#C3481202)に関して　　ウィルソン様
6月29日がお支払い期限のご注文(#C3481202)に関して、入金の確認が取れていないことをお知らせいたします。①　お見落としかもしれませんが、早急にご対応のほどよろしくお願いいたします。②　もしお支払いがお済みの場合は、何卒ご放念ください。ご高配いただきありがとうございます。　渡辺真也

①の応用フレーズ

▶ **I am resending this email in case you have not received it.**
——万が一メールが届いていない場合のために、メールを再送いたします。

▶ **This is a gentle reminder that the forms are due by EOD Thursday, Nov. 8.**
——フォームの提出期限が11月8日(木)の終業時間までであることをリマインドします。★★

▶ **Can you please send the information by January 8?**
——1月8日までに情報を送っていただけますか?

②の応用フレーズ

▶ **We ask that you respond as soon as possible.**
——早急にご対応いただきますようお願い申し上げます。

▶ **We request that you get back to us on the above points at your earliest convenience.**
——上記について早急にお返事くださるようお願いいたします。

■ appear that=〜だと思われる　■ disregard=無視する
■ gentle=丁重な　■ EOD(End Of Day)=1日(就業時間)の終わり

---

happy とはかぎらない

　アメリカのスポーツ中継を見ていて気になるのが、レポーターが選手へのインタビューの際に、"How happy are you about the results?"（結果にどのくらい満足ですか？）と聞く質問です。

　この How 〜 are you?（どのくらい〜ですか？）という聞き方は、マネしない方がいいでしょう。例えば先のレポーターの質問の場合、相手がある程度「満足」していることが前提のように聞こえますし、「どのくらい」と聞かれても相手は答え方に困ってしまいます。それよりも、"How do you feel about the results?"（結果についてどう思いますか？）や "What are your feelings about your team's performance this season?"（今シーズンのチームのパフォーマンスについてどう思いますか？）など、**相手が自由に話せる余地があるような形式で質問をしましょう。**

ちょっとブレイク WATER COOLER 6 通じないカタカナ言葉と似て非なる動詞

　日本語にはカタカナ言葉がたくさんありますが、英語でも同じように通じるとはかぎりません。文法的に正しくないだけで意味は同じ場合もありますが、意味が全く異なり、誤解を招くものもあります。ここでは、注意したいカタカナ言葉と、似ているけれど意味の異なる動詞を紹介します。

意味が異なるカタカナ言葉
■チャレンジする

　challengeは「挑戦」を意味しますが、動詞よりも名詞として使うことが多いです。"It's a challenge."（チャレンジだ）や"Let's take on the challenge."（チャレンジしよう）などとは使いますが、"Let's challenge." とは言いません。**動詞で「チャレンジする」と言いたい場合はtryを使います。**

▶ Let's try to increase profits by 15%.
（収益の15％増にチャレンジしましょう）

■ファイト！

　英語のfightは「戦い」「喧嘩」を意味します。**日本語の「頑張れ」は、"Good luck!"や"Do your best!" がよいでしょう。**ただし、カジュアルな表現です。

■メールする

　日本語ではEメールのことを「メール」と言っても通じますが、英語のmailは名詞では「郵便（物）」、動詞では「郵送する」を意味します。ですので、Eメールの場合は、"I will email you." " I will send you an email."（メールを送ります）のように、eを付けるのを忘れないでください。なお、e-mailとハイフンを入れる書き方もあります。

文法的に正しくないカタカナ言葉

■レッツ・ランニング!

"Let's running."のrunningは動名詞なので、文法的に正しくありません。"Let's go running!" "I go hiking."など、必ず動詞を付けましょう。

ただし、「〜しましょう」という意味でlet'sを使うのは、ビジネスではあまりおすすめしません。英語では、少し幼稚なニュアンスがあるからです。例えば"Let's clean up the room."ではなく、"Please help me clean up the room."(部屋の片付けを手伝ってください)の方がよいです。

■アナウンス

日本語では「発表」「お知らせ」という意味で、名詞として使いますが、英語のannounceは動詞です。名詞はannouncementです。

▶ I have an important announcement to make.
(重大なお知らせがあります)

似て非なる動詞

■"hope" vs "wish"

どちらも「願う」という意味ですが、ニュアンスには大きな違いがあります。**hopeにはその願いが叶う可能性が十分にある**のに対し、**wishは実現する可能性が低かったり、不可能な場合**に使います。

▶ I hope I can convince the client to do business with us.
(私たちと取引をするよう、クライアントを説得できるとよいのですが)
▶ I wish I could speak French.
(フランス語が話せたらいいのに)
※「話したいけれど実際は話せない」というニュアンスが含まれています。

■"teach" vs "tell"

日本語では、「電話番号を教えてください」と言いますが、**"Please teach me your phone number."とは言いません**。teachには、スキルや教科などを「解説」することで伝える(指導する)、という意味があります。ですの

で、名前や場所などを聞くときは"Please tell me your phone number."のように、tellを使います。"Let me know your phone number."もOKです。

■ "expect" vs "look forward"

どちらも「期待する」と訳せますが、意味は大きく違います。expectは「当てにする」「要求する」というニュアンスが強い一方で、look forwardは「楽しみにする」というポジティブな意味合いを含むことがあります。**丁寧に言いたいときは、look forwardを使いましょう。**

▶ I expect to see the draft next week.
(来週にはドラフトを完成させるように)
※要求するニュアンスがあります。
▶ I look forward to receiving your draft next week.
(来週ドラフトを見られることを期待しているよ)
※より柔らかく、励ますようなニュアンスがあります。

CHAPTER 7

お知らせする
Notices

　断るときに使う「難しいです」は、日本語独特の表現です。自分も相手もダメージから守ることができる、便利な言葉ですよね。英語の場合、"That would be difficult." と言うと、"Oh, really? Good luck!"(そう？　じゃあ頑張ってね！) と言われ、引き受けたと捉えられる可能性があります。英語では、あいまいに表現すると意図は正確に伝わらないのです。

　同様に、日本人は「考えておきます」と言って、婉曲に断ることがあります。これも、"I will think about it." と言うと、「考えてくれるなら可能性は十分ある」と相手に思わせてしまいます。そして、実は no だったとわかったときに、印象が悪くなることもあります。このように、受け取られ方や印象は言い方次第で大きく変わり、人間関係にも影響を与えます。

　英語では、明確に言うことは決して失礼ではありません。逆に、はっきり伝えずに相手を混乱させたり、誤解を招く可能性を高めたりする方が問題です。特に、相手にとって好ましくない用件や言いにくいことを伝えるときは、内容を明確に表現しつつも、できるだけ慎重に言葉を選び、「クッション」を入れるよう心がけましょう。

17 言いにくいことを伝える

Subject: New project

お手本

Dear Ms. Chang,

Thank you for your email.

<u>I wanted to acknowledge that I have reviewed the proposal for your project.</u> ① I am happy to have the opportunity to work with you on this.

<u>However, I am afraid that if I start this project, then it will delay completion of my current project.</u> ②

Please let me know if that is a concern, or whether it is acceptable to prioritize the new project.

Sincerely,
Kazuma

件名：新しいプロジェクト　　チャン様

メールをいただきありがとうございます。　プロジェクトの企画書を確かに拝見いたしました。① このようなお仕事をご一緒する機会をいただき幸いです。　ただ、このプロジェクトにとりかかると、現在進めているプロジェクトの進捗に遅れが生じてしまいます。② もしそれが問題でしたらお知らせください。あるいは新しいプロジェクトを優先しても問題ないかどうか、お聞かせいただければと存じます。　ー真

①の応用フレーズ

▶ **This is to acknowledge that we received your request.**
――リクエストをいただきましたこと、御礼申し上げます。

②の応用フレーズ

▶ **I will discuss this with my team and get back to you on whether it is feasible to complete this within the time frame you required.**
――本件に関してチームと相談し、ご要望の期限までに完了可能かどうか、お返事いたします。

依頼された仕事をできるかどうか判断しかねるとき

　　①まずは「やりたい」「行きたい」など、前向きに伝える
　　②次に、懸念点や断らなければならない理由を述べる

誠意が伝わり、角の立たない表現を使いましょう。

■acknowledge＝受け取ったことを知らせる、謝意を表明する
■acceptable＝受け入れられる　■be feasible to＝～することが可能だ

18 進捗状況を伝える
★★★

Subject: Delay in project progress

お手本

Dear Mr. Smith,

I would like to update you on the current status of the project.

Due to a networking error, there will be a delay in completing your request by the date initially agreed upon. We will do our best to get this back to you by the end of the following business day.

We apologize for the delay. Please let us know if you have any further questions or concerns.

Sincerely,
Natsumi Takahashi

件名：プロジェクトの遅延　　スミス様
プロジェクトの現状についてお知らせいたします。　ネットワークのエラーによりリクエストの完了が遅れ、当初お約束した期日に間に合わせることができない状況です。最善を尽くし、次の営業日までには再度ご連絡いたします。　遅れが生じていること、お詫び申し上げます。ご質問やお気づきの点がございましたら、お知らせください。　高橋夏美

期限に間に合わないとき、問題が発生したとき

①相手に代替案を提示する（いつまでならできるか、どのようなアプローチを取って解決するかなど）
②適度に連絡し、状況を報告する（それによって、相手も仕事や予定を整理することができます）

電話で伝えたい場合

▶ **I would be happy to discuss this with you on the phone. Are you available for a call on June 4th, between 3:00 and 4:30 p.m.?**
——本件に関して、お電話にてお話しさせていただければ幸いです。6月4日の午後3時から4時30分の間にお電話してもよろしいでしょうか？

■ due to＝〜が原因で

期限には余裕を持って

期限に「バッファー」（WATER COOLER 2で詳しく説明しています）を持たせることはとても重要です。自分で期限を設定する際は、現実的なものにしましょう。あまり厳しすぎると後々苦しむことになり、期限が守れないと相手に迷惑がかかってしまいます。

もし催促されて正式に返答できない場合は、なるべく早くその旨を伝え、具体的な回答の期限を示しましょう。メールを受け取ってから時間が経っているけれど、進めていることを伝えたいときも同様です。特に英語圏でコミュニケーションを重視する環境では、自分の状況を知らせないと、周りを信用していないと思われることもあります。相手の心配やフラストレーションを軽減するよう心がけてください。

▶ Thank you for your email. I will get back to you with a full response by the end of tomorrow.
（ご連絡いただきありがとうございます。正式なお返事は、明日中にお送りいたします）
▶ Thank you for your email. I will review your proposal and respond to you by Friday.
（ご連絡いただきありがとうございます。企画書を拝見し、金曜日までにお返事いたします）
▶ I'll keep you posted. / I'll touch base with you from time to time so you will know what's going on.（進捗状況は随時ご連絡します）

19 売り込みの企画を断る

Subject: Thank you for your proposal

Dear Mr. Burns,

I regret that we are unable to accept the proposal. ① However, I feel sure that your proposal has appeal and that another company would be interested in it. ②

I wish you success in finding a suitable company for your project. I hope that in the future we might be able to work together.

Sincerely,
Ami Nagao

件名：企画案をありがとうございました　　バーンズ様
残念ながら、いただいた企画案を採用できないことをお知らせします。① しかしながら、企画には魅力的な部分もありますので、興味を示す企業が他に必ずあると信じております。②　プロジェクトにふさわしい企業に出会えますことをお祈り申し上げます。そして、いつかお仕事をご一緒できますよう願っております。　長尾亜美

①の応用フレーズ

▶ **I am delighted to receive the offer, but unfortunately, I have to decline at this time due to a schedule conflict.**
――ご提案いただき光栄です。ただ残念ですが、スケジュールの都合がつかず、現時点ではお断りせざるをえない状況です。

▶ **Please accept my sincere apologies for not being able to assist you as I am overextended at the moment.**
――現在仕事が重なっており、ご協力できないこと、心よりお詫び申し上げます。

②の応用フレーズ

▶ **I hope that you find another solution to the problem.**
――問題解決の糸口が他に見つかることを願っております。

企画を断るときに伝えるべき2つのポイント
①(会社として)その企画を受けることができなくて申し訳ない気持ち
②その企画の魅力やよい点、励みになる言葉

　監修者で父のジェームスも、出版社に提案した企画が却下された経験は何度もあります。中でも強く印象に残ったのは、国際的に有名な大手出版社からの手紙(rejection letter)だそうです。内容は残念なお知らせでしたが、却下した理由(タイミングが好ましくなかった)と企画のよかった点がつづられていました。ちゃんと企画を検討してくれたことがわかり、思わずお礼の返事をしたくなったそうです。詳細を説明する必要はないですが、残念なお知らせこそ誠意を示すことが大切です。そして、お互いに後味が悪くならない伝え方ができるとベストですね。

■ conflict＝摩擦、衝突　■ overextend＝過度の仕事を課す

20 社内への告知

Subject: Annual Winter Book Drive　　お手本

Dear All, ①

The Tokyo Children's Support Center, in collaboration with Jacobsen International's Public Relations Office, would like to invite you to join the joint annual book drive this winter. ②

Your generosity will help children discover the pleasures of reading and learning.

For information about this initiative, please refer to the Tokyo Children's Support Center's website in English or Japanese. For any questions, please contact Mayumi Kanno at 03-1111-2222 or mkanno@xxx.co.jp.

We greatly appreciate your cooperation to help make the book drive a success again this year and for your continued support in these efforts. ③

Best Regards,
Public Relations Office

件名：毎年恒例　冬のブック・ドライブ　　皆様①

この冬、東京子ども支援センターがヤコブセン・インターナショナル広報課と毎年共同で行っているブック・ドライブにお誘い申し上げます。②皆様の寛大なご協力によって、子どもたちは読書や学習の喜びを発見できるでしょう。　本企画に関する情報は、東京子ども支援センターのウェブサイト（英語・日本語）をご覧ください。ご質問がございましたら、菅野真由美（03-1111-2222 または mkanno@xxx.co.jp）までお問い合わせください。　本年も、ブック・ドライブ成功に向けたご協力と、活動への継続的なご支援に心より感謝いたします。③　広報課

①の応用フレーズ
"Dear All," は省略する場合もあります。

②の応用フレーズ
▶ **We are calling for volunteers for the charity run on Saturday, April 21.**
――4月21日（土）のチャリティー・ランのボランティアを募集しています。

▶ **Following the recent increase in interest in volunteer activities, we have launched a new website to review the activities.**
――ボランティア活動への関心が最近高まっているのに伴い、アクティビティーを一覧できるウェブサイトを新設しました。

③の応用フレーズ
▶ **We look forward to your participation.**
――皆様のご参加を心よりお待ちしております。

返事のフレーズ
▶ **I would be happy to cooperate with you in making this charity poster.**
――チャリティーのポスター制作、喜んでお手伝いいたします。★★★

- **Please sign me up for volunteering next weekend!**
    ——次の週末のボランティアに参加させてください!
- **I regret that I am unable to accept your kind invitation.**
    ——ご親切にいただいたご招待をお受けできず残念です。★★★
- **I am sorry, but I will be out of town that weekend.**
    ——ごめんなさい、その週末は出かけております。
- **May I take a rain check?**
    ——またの機会にご招待いただけますか? ★
- **I'm sorry I can't help.**
    ——ごめんなさい、お手伝いできません。★

■rain check＝(またの機会に招待するという)保証、申し出
　※本来の意味は「雨で中止となった場合の振替券」。

イベントにも本気

　外資系企業の人たちは仕事も一生懸命ですが、イベントも全力で楽しみます。例えば、ゴールドマン・サックスでは当時、ハロウィンの仮装パーティーは一大恒例イベントでした。仮装した子どもを連れて社内をパレードするときは大変盛り上がり、各フロアに誘導係やお菓子を配る人もいて、ほとんどの人が仕事そっちのけで参加していました。

　他の外資系企業では、毎年年末にテーマを決めて仮装をするパーティーがあり、参加者はかなり本気だったそうです。中でも、毎月"仮装積み立て"をして、十数万円費やしたコスチュームをまとったツワモノもいたそうです。まさに「仕事にも遊びにも本気」ですね(パーティーも仕事の一貫とも言えますが)。

　また、最近見られる傾向で興味深いのが、日本と海外の「アフター5」の傾向が逆転していることです。日本では仕事帰りの「飲み会」などで同僚と過ごす習慣が減っており、アメリカなどでは会社主催のイベントが増えています。アメリカの会社の場合は飲み会ではなく、セミナーや勉強会系のイベント、チャリティーイベント、そして家族も参加できる形式のイベントが多いようです。ただ、大半は業務時間内に行われ、チャリティーマラソンやボランティアなどを社外の人と合同で行い、時には週末に開催することもあると聞きます。

ワークライフ・バランス

　他の外資系企業で働く知人の話を聞いても、働く人たちのワークライフ・バランス（work-life balance）を大事にする企業は増えているようです。

　筆者が働いていた会社は子どものいる社員が多く、２～３人の子どもを持つ人も少なくありませんでした。会社には働く親たちのコミュニティーがあったり、近くにある託児所に預けることができたりと、サポートが充実していました。

　また、子どもの入園式や入学式のために休みを取ったり、勤務時間を短縮したり、WFH することも日常的にありました。**WFH は Work From Home の略で、自宅から会社のシステムにアクセスして働くことを意味します。**誰かがミーティングにいないと"She is 'working from home' today."（彼女は本日「自宅勤務」です）と言って、その人と電話をつなぎ、スピーカーシステムを使って会議をしました。

　ワークライフ・バランスのためのこのような制度自体は珍しくないかもしれませんが、遠慮せずに活用できる雰囲気があり、会社としてもそれぞれの健康状態や家庭の事情を理解した上で、チームで助け合っていました。ただ、同じ会社であってもやはり地域によって差はあるようで、例えば香港やソウルのチームが取る産休期間は、東京に比べて短かったように思います（個人的な理由もあるのかもしれませんが）。

21 色々なお知らせ

メールアドレスの変更

▶ Please note that my personal email address has changed. My new email address is xxx@xxx.com. Please use this address going forward. Thank you.
(私の個人メールアドレスを変更しましたのでお知らせします。新しいアドレスはxxx@xxx.comです。今後はこちらのアドレスをご使用ください。よろしくお願いします)

不在通知

▶ I will be out of the office 3/24-27 on vacation with no access to email. I will respond to your email upon my return. Should you need immediate assistance, please contact the xxx team at xxx@xxx.com.
(3/24-27は休暇をいただいており、メールが使えません。3/28以降にお返事いたします。期間中に急用がございましたら、xxxチーム[xxx@xxx.com]までご連絡くださいますようお願いいたします)

▶ Thank you for your email. January 9 (Monday) is a national holiday and the Tokyo office is closed. I will read your email upon my return to the office. I would appreciate your patience as there may be a delay in my reply.
(ご連絡をいただきましてありがとうございます。誠に申し訳ございませんが、1/9[月曜日]は祝日のため東京オフィスは営業しておりません。メールは1/10以降に拝読いたします。お返事が遅れますこと、ご迷惑をおかけしますがよろしくお願いいたします)

その他のフレーズ

▶ This is to advise you that there will be no internal mail service on December 31.
（12月31日は社内の郵便サービスが停止することをお知らせいたします）

▶ We are pleased to announce the formation of a new department within the division.
（局内で新たに編成された部門についてお知らせいたします）

▶ We regret to announce that Richard Aoki will be leaving the firm at the end of the month.
（残念なお知らせですが、リチャード・アオキさんが今月末で退職いたします）

年末年始の挨拶

　国や文化、宗教によって行事やお祝いは異なります。特に年末年始は、宗教的な意味を持つ挨拶の言葉に気をつけましょう。クリスマスはキリスト教の大きなイベントですが、ユダヤ教ではこの時期にハヌカー（Hanukkah）を祝います。中国やアジア圏では旧正月（旧暦の正月。1月下旬から2月下旬ごろまでで毎年変わる）を祝うため、年明けに休みをずらすか、年末年始と旧正月の両方で休暇を取る人が多いです。

Happy Holidays! ＝よい休暇をお過ごしください！

　冬季休暇の挨拶で、Merry Christmas の代わりに使うことが多いです。クリスマスを祝う習慣のない国や文化もあるので、不特定多数の相手に使えます。相手のバックグラウンドを断定できない場合はもちろんですが、ダイバーシティー（多様性）への配慮と尊重を示すためにも、このようなフレーズの方が好ましいでしょう。

Season's Greetings ＝季節の挨拶

　主にグリーティングカードなどの文書で使います。

Happy New Year! ＝よいお年を！

　I hope you have a happy new year.（よいお年をお迎えください）の略であることからもわかるように、海外では年が明ける前に使います。Best wishes for the new year（新年のご多幸をお祈り申し上げます）などと表現すると、よりフォーマルになります。

ちょっとブレイク
WATER COOLER 7

OKはOKではない？

ジェスチャー／ボディランゲージはコミュニケーション・ツールのひとつで、特に母国語が異なる人同士が会話する際には、大事な役割を果たします。ただ、同じジェスチャーでも、国によって意味は様々に異なり、逆になることさえあります。ここでは、誤解されやすいジェスチャーをご紹介しましょう。

親指を立てる

英語でthumbs upと言います。日本やアメリカでは、「やったね」や"Great." "Good job."などを意味します。気軽に使いがちですが、中東やギリシャなどの国では「くたばれ!」に近い意味を持つと言われます。

中指を立てる

知っている人には常識かもしれませんが、中指を突き出すジェスチャーは"Fuck you!"（「くそくらえ!」「くたばれ!」）という意味です。相手を強烈に中傷・侮辱し、喧嘩を売るような行為です。人に向かってではなく、例えば「あそこを見て!」と、ポスターや標識などを指すときでも誤解を招くので注意しましょう。何かを指し示すふりをして、実は皮肉でfuck youと伝えていると相手に思われてしまうかもしれません。

ピースサイン

写真撮影などで日本人がよく取るポーズですが、攻撃的な意味に捉える国もありますので、気をつけましょう。また、イギリスやオーストラリアでは、手の甲を相手に向けてピースをすると失礼な意味になります。

OKサイン

親指と人さし指で円を作るポーズは、非常に多義的です。日本のように「お金」を意味する場合もありますし、フランスでは「ゼロ」、そしてロシアやドイツなどでは非常に侮辱的な意味を示します。"OK"は世界的にOKではありません。

自分を指さす

　最近はあまり見かけませんが、自分(鼻など)を指さして「自分は」「私は」などと示すジェスチャーは、英語圏の人には少し不思議に見えます。

顔の前で手を振る

　(謙遜して)否定するときに、「違いますよ～」「そんなことありません」と顔の前で手を振るのも、日本人特有のしぐさですね。これは失礼ではないですが、「さようなら」のジェスチャーと間違えられるので、避けましょう。

手招きする

　日本人は人を呼ぶとき、手を下に向けて前後に振るしぐさをしますが、英語圏では逆の意味になります。つまり、「あっちへ行って!」のジェスチャーになるので注意してください。英語圏の人は、人を呼び寄せるときには手を上に向けて振ります。

顔の前で両手を合わせる

　「お願いします」や「ごめんなさい」の意味で、お祈りするようなポーズを取るのを日本ではよく見かけますが、海外では伝わりません。

目をつむる

　スピーチや会議中に目をつむるという行為、国会などで政治家がよくやっていますよね。眠っているようにも見え、違和感を持つ人も多いと思いますが、海外でもこれはNGです。「聞いていない」「興味がない」というサインに見えてしまい、大変失礼です。

　アメリカ人は日本人(そしてヨーロッパ人)に比べて、習慣的に相手によく触れます。特に、挨拶のときの握手は大事なコミュニケーションです。よい握手のポイントは、以下の3つです。

①相手の手を取ったら強く握る
　　(力を弱めて控えめにすると、あまり印象はよくない)

②4〜5回振り、手を離す
③握手するときは、相手の目をよく見る

　よく日本の政治家の間で見られますが、相手の手を自分のもう片方の手で覆うのは避けましょう。「フレンドリー」アピールのつもりかもしれませんが、偽善的に見え、違和感を与えてしまう可能性もあります。

　また、仲よくなろうとするあまり、やたらと相手に触れるのもよくありません。例えば、相手を誘導するために手を添えたり、励ましに「バンバン」と叩いたりすることがありますが、これは背中や肩にかぎってください。

CHAPTER 8

意見を述べる

Express yourself

「ミーティングで座っているだけでは、存在していないも同然」。会社の上司に言われたこのひと言は、当時の私には衝撃的でした。またある本に書いてあった、"You have a voice. Use it!"（声があるのだから、使って！）という言葉も印象に残っています（この場合の「声」は、音としての「声」と意見の「声」の二重の意味を持ちます）。外国人とのミーティングは、まさに「発言した者勝ち」の世界。多様な考え方を積極的に受け入れる人が多いので、地位や年齢に関係なく意見が求められます。

意見を伝える際の大事なポイントは、「自信を持って話す」「はっきり言う」です。日本人は、「私はそれほど詳しくありませんが」などと謙虚な態度を取りがちですが、これはマイナス効果です。謙虚すぎると自信がないと見られ、信用を損なう可能性もあるからです。自分の担当するエリアや専門分野に関しては、自信を持って情報やアイデアを提供してください。

この章では、上記のポイントをふまえつつ、失礼のないように意見を伝えるためのフレーズや構文を紹介します。メールでも使えますが、ミーティングなど会話の中で使う場合が多いでしょう。

意見を述べる（～だと思います） お手本

★★★　In my opinion, ～. / I believe [think / feel] that ～.
★★　My opinion is that ～.
★　I think ～.

考えがまとまらない、意見が特にない お手本

★★★　I'm afraid I am not familiar with ～.
　　　（恐れ入りますが、～については詳しく存じ上げません）
★★　I would have to look into it.
　　　（それについては調べる必要があります）
　　　I'm not sure yet.
　　　（まだ確かではありません）
★　I don't know.
　　　（わかりません）

「わからない」と述べるだけでなく、「なぜか」またはそれについて「どうするか」を付け加えましょう。

意見するのを避ける お手本

★★★　I'm afraid I am not in a position to offer an opinion.
　　　（恐れ入りますが、立場上ご意見しかねます）
　　　I'm afraid you might have to refer to X on that matter.
　　　（恐れ入りますが、その件につきましてはXにお問い合わせください）
★★　I prefer not to say anything about it.
　　　（それについては発言を控えたいと思います）
　　　I would have to think about this some more.
　　　（この件についてはもう少し考えたいと思います）

同意する お手本

★★★　I agree with you on that.
　　　（それについて同意します）

I agree entirely.
(全く同じ意見です)

★★ I agree. / That's true. / I believe you're right.
(私もそう思います)

★ Right. / I'm with you. / Absolutely.
(同感です)

You have every right to be upset.
(がっかりするのは当然です)

　コミュニケーションの上手な人は、新たな意見を加えたり、話を発展させたりすることができます。ただ同意するだけではなく、もう一歩踏み込んで、理由などを短く補足できるとよいですね。

▶ I agree. It is essential that every member of our department understands this.
(私もそう思います。私たちの部署の全員がこれを理解するべきです)

▶ I'm with you. This situation needs to be changed.
(同感です。この状況を変えなくてはなりませんね)

反対する

★★★ I'm afraid I do not agree. / I'm afraid I have a different opinion on that. / I cannot agree with that.
(申し訳ないですが、賛成できません)

I do not want to disagree, but I believe that ～.
(反対したくはないのですが、～ではないかと思います)

I'm not sure about that.
(それはどうでしょうか)

I am not convinced.
(納得できません)

You could be right, but don't you think that ～?
(正しいかもしれませんが、～とは思いませんか?)

You could be right, but there are some problems.
(正しいかもしれませんが、いくつか問題点があります)

★★ I do not agree.
(同意できません)

I see your point, but I think that ～.
(お気持ちはわかるのですが、私は～だと思います)

I don't follow you. Could you please explain further [give a few examples]?
(理解できません。もう少し説明していただけますか[いくつか例を挙げていただけますか]?)

★ I don't think so. I disagree.
(そうは思いません。反対します)

客観的に、丁寧に
「はっきり言う」のが大事とはいえ、言い方には注意が必要です。

× You made a mistake. / I think you're wrong.(あなたは間違っています)
○ This may be a mistake.(これは間違いかもしれません)
　 Is this correct?(これは正しいでしょうか?)

you を主語にすると、攻撃的に聞こえます。**反対意見や反論を言うときには、客観的な表現や疑問形などを使い、できるだけ丁寧に伝えましょう。**

agree to disagree(直訳すると「反対の意見を持つことに賛成する」)という言葉があるように、お互いに異なる意見を持つことを認め、思考の多様性を受け入れる姿勢を示すことも重要です。意見を押し付けることはせず、反対する理由や代案なども述べるとよいでしょう。

意見などを求める

★★★ What are your opinions on ～?(～についてどう思いますか?) 〔お手本〕
　　　Do you have any opinions on ～?(～についてご意見はありますか?)

★★ What do you think about〜?(〜についてどう思いますか?)
★ What's your take on〜?(〜についてどう思いますか?)
※ one's take on＝〜に関する個人の意見

提案する

★★★ May [Could] I suggest that〜?(〜をご提案してもよろしいでしょうか?) お手本
Would it be possible to〜?(〜するのはいかがでしょうか?)
I would like to suggest that〜.(〜をご提案させていただきます)
★★ How about if we〜?(〜するのはどうでしょうか?)
I suggest [recommend] that〜.(〜をご提案します)

recommend / suggest / propose の違い

すべて「提案する」という意味ですが、それぞれにニュアンスが異なります。

■ recommend =（〜するとよい、役に立つと）すすめる、推薦する

▶ I recommend that you talk to your manager before making plans for your holiday.
(休暇の予定を立てる前に、マネージャーに話した方がいいと思います)
※ suggest でもOK。

▶ I would like to recommend Alice for the Vice President promotion next term.
(次期ヴァイス・プレジデントへの昇進にアリスを推薦したく存じます)
※このように、人をrecommendすることも可能です。

■ suggest =（検討するよう）提案する

「ほのめかす」というニュアンスもあります。

▶ I suggest that you take a day off tomorrow to take care of your cold.
(風邪を治すために明日はお休みを取る方がいいと思います)
※ recommendでもOK。

▶ Are you suggesting that my work habits are harmful to my health?
(私の働き方は健康によくない、ということでしょうか?)
※ recommend / proposeはこの場合使いません。

▶ The results <u>suggest</u> that Japan is entering a recession.
(結果は日本経済が低迷していることを示唆しています)
※recommend / proposeはこの場合使いません。

■ **propose = 提案する**
recommend / suggest よりフォーマルで、「計画する」「企てる」というニュアンスが強いです。

▶ I <u>propose</u> we establish new guidelines for communicating with clients.
(クライアントと連絡するための新しいガイドラインを構築することを提案します)

説得する

お手本

★★★ If we look at this from another angle, this approach will increase revenue.
(別の角度から見ると、このアプローチは収益を増加させます)

I understand A and B, but the benefits of C outweigh the disadvantages because 〜.
(AとBの点も理解できますが、Cの利点は〜という理由でそのマイナス点を上回ります)

★★ Yes, but if we consider that 〜, then __.
(はい。ただ、〜を考慮すると__です)

That is true, but isn't it possible that 〜?
(その通りです。しかしながら、〜も可能ではないでしょうか?)

★ Don't you think that plan A would be better?
(プランAの方がよいと思いませんか?)
※間違ってはいませんが、答えがおのずとYes / No 形式になります。自由回答形式の質問の方が、議論が深まります。

　ビジネスでは、説得(persuasion)のスキルが大きく評価されます。押し付けがましく言わないようにするのは難しいですが、話し方を工夫して意見の根拠をきちんと説明すれば、より理解を得やすくなるでしょう。

否定疑問文には注意

Don't you think ～？（～とは思いませんか？）は否定的で攻撃的なニュアンスがあり、丁寧な表現ではないのであまり使わない方がよいでしょう。これは、間違った敬語英語の典型的な例です。

日本語の否定疑問文は、「質問はありませんか？」や「教えていただけませんか？」など、丁寧に催促する意味で使われますが、英語では、質問がない場合や教えられない場合は何か問題がある、ということをほのめかしているようで、失礼に当たります。

例えば"Can't you tell me the details of the meeting?"（会議の詳細を教えてくれませんか？）には、相手を責めるような語気が感じられます。強く言う必要がないのであれば、肯定形で質問しましょう。

また、否定形で質問された場合は、答え方に注意が必要です。詳しくは、WATER COOLER 8 で解説しています。

確認する

★★★　May I confirm that what you are saying is～? / Just to confirm, are you saying that～? / I'm just checking, but do you mean～?
（[念のため]ご確認しますが、～ということでしょうか?）

I'm afraid I was unable to hear the last part of what you just said. Would you mind repeating that?
（恐れ入りますが、最後におっしゃったことが聞き取れませんでした。もう一度おっしゃっていただけますか?）

★★　Are you saying that～? / Do you mean that～?
（～ということでしょうか?）

誤解を解く、認識を正す

★★★　To prevent any misunderstanding, please allow me to reword what I said.
（誤解がないように、もう一度言い直させてください）

I'm afraid I did not communicate correctly.
(申し訳ありません、正確にお伝えできませんでした)
※この後に言い直します。

★★ Just to get this straight, I mean that～.
(整理すると、私が言いたいのは～ということです)

My explanation wasn't clear.
(説明が明確でなかったかもしれません)
※この後に言い直します。

クレームを述べる、問題点を伝える

★★★ I would like to submit a formal complaint regarding this matter.
(この件に関して、正式に不平を申し立てたいと思います)

I'd just like to point out a few issues I see with this plan.
(この計画に関する問題点をいくつかご指摘したいと思います)

I'm afraid I need to raise the issue of security regarding this new software.
(恐れ入りますが、この新しいソフトウェアにおけるセキュリティーの問題を取り上げる必要があります)

決断を延期する

★★★ I'd like to propose that we delay any decisions on this issue until we discuss it further.
(この問題についてさらに話し合うまでは、決断を延期したいと思います)

I suggest that we postpone making a final decision.
(最終決定を見送ることをご提案します)

★★ Let's meet again before making a decision.
(決定する前にもう一度会って話しましょう)

思いとどまらせる

★★★ We would advise that you not agree to the proposal.

(その企画には同意しないことをおすすめします)

I believe there are not enough resources to manage three separate projects at this time of year.
(年度のこの時期に3つの別々のプロジェクトを行うには、人員が足りないのではないかと思います)

妥協する

★★★ Plan A might not meet the requirements of both sides. But I believe we need to make some compromises and reach an agreement in order to proceed.
(プランAは双方の要望を満たしてはいないかもしれません。ただ、先に進むために、ある程度妥協と合意をする必要があると思います)

★★ Let's try to reach an agreement on this issue.
(この問題について折り合いをつけるように努力しましょう)

理由をたずねる

★★★ Would you please explain the reasons behind this decision?
(この決定に至った理由をご説明いただけますか?)

May I ask why [how] you reached this conclusion?
(なぜ[どのように]この結論に至ったのか、伺ってもよろしいでしょうか?)

★★ Please explain the justifications for this decision.
(この決定が正当であるとする理由をご説明ください)
※攻撃的に聞こえるので注意しましょう。

理由を説明する

★★★ Please let us explain how we have reached this decision.
(どのようにしてこの決定に至ったのか、ご説明させてください)

May I take a few minutes to explain the reasons for this decision?
(この決定に至った理由をご説明するのに、お時間を数分いただけますか?)

感情を表すキーワード

■喜び＝ glad / pleased / happy / delighted

▶ I am glad that we have reached an agreement.
（合意に至って嬉しいです）

▶ I am pleased to hear that we can move forward with this project.
（このプロジェクトを進められると聞いて嬉しいです）

▶ We are happy to hear your decision to join our volunteer efforts.
（私たちのボランティア活動にご参加いただけるとのご決断を聞き、嬉しく思います）

▶ We are delighted to learn about your team's success in the recent hiring efforts.
（あなたのチームが最近の採用活動でうまくいったことを知り、嬉しく思います）

■感謝＝ appreciate

▶ We greatly appreciate your support in this new initiative.
（この新たな取り組みにご支援いただき、心から感謝いたします）

■期待＝ eager

▶ We are eager to hear the results of the survey.
（調査の結果が聞けることを期待しています）

■心配＝ concerned / worried / anxious

▶ While we appreciate your support in this case, we are concerned that it may negatively affect your relationship with the other departments. （この案件にご尽力いただいたことは感謝しますが、他の部署との関係に悪影響を及ぼさないか心配です）

▶ I am worried that the change in employment conditions may lead to dissatisfaction from current employees.
（労働条件の変更は、今いる社員の不満を買わないか心配です）

▶ I am anxious to know the results of the first quarter given that the market was very volatile.
（マーケットがとても不安定だったので、第1四半期の業績が気がかりです）

ちょっとブレイク WATER COOLER 8 否定形の質問、答え方に迷ったら

質問がdon't youや can't youなど否定形の場合、yesかnoのどちらで答えればよいか迷う人は多いようです。

日本語では、答えの内容は同じでも、質問の仕方によって答え方が変わります。例えば、「今日、お時間ありますか?」には「はい(あります)」と答え、「今日、お時間ないですか?」と否定形で聞かれると、「いいえ(あります)」と答えます。これは、必ずしも質問の内容に肯定や否定をするだけではなく、相手の意見に共感するか否かを示すという、日本語特有の表現です。

一方で、**英語では質問が肯定形でも否定形でも、「あります」であればYes.と答えます。反対に、「ないです」の場合は、どちらの形式の質問でもNo.と答えます。**

例えば、"Sales didn't go up, did they?"(売り上げは上がらなかったのですよね?)という質問に対し、上がらなかった場合は"No. (they didn't go up)" と言います。しかし、日本語の感覚で答えてしまうと、"Yes. (they didn't go up)" となり、ミスコミュニケーションにつながりかねません。

他の例も見てみましょう。

Q You can't attend the meeting this afternoon, can you?
(今日の午後、ミーティングに出席できないですよね?)

A No, I'm afraid I can't.(はい、出席できません)
Yes, I'm able to attend.(いいえ、出席できます)

さらに、英語がネイティブの人でも間違いやすいのが、Would you mind ~? など、**mind(気にする)**を使った質問です。"Would you mind if I open the window?"（窓を開けてもかまいませんか?）に対してyesと答えると、"Yes, I mind."（かまいます、問題あります）になるので、「窓を開けてほしくない」という意味になります。窓を開けてもよい場合は、"No, I don't mind."（いいえ、かまいません）と答えます。

　このように、否定形やmindを使った質問は、答える側の混乱を招くことがあるので、避けた方がいいでしょう。"Can you [Could you] attend the meeting this afternoon?" や "May I open the window?" のように質問をした方が誤解を防げます。

　また、否定形で聞かれて答え方に迷ったら、yes / noで答えずに、"I'm able to attend." や "I can't attend." "I don't mind if you open the window." など、質問の内容部分に直接答える方法もあります。

CHAPTER 9

毎日のオフィス英語

Daily communication

職場では様々な場面に遭遇するので、臨機応変なコミュニケーションが欠かせません。たくさんの言葉やフレーズ、言い回しを覚えておくと、そのたびにサッと引き出しから取り出せるので役立ちます。何気ない言葉が場を和ませ、会話が広がったり、人間関係を円滑にしたりする効果もあります。

例えば、"How are you?"（元気？）と聞かれたら、あなたは何と答えますか？ 中学英語で習った "I'm fine, thank you. And you?"（ええ、元気です。あなたは？）がとっさに出てしまう人もいるかもしれませんが、状況に応じて答え方を工夫できるとよいですよね。

よくも悪くもないのであれば、"I'm all right."（まあまあです）と言いましょう。また、"I'm good, but it's getting cold."（元気だけど、寒くなってきたね）など、but で話題を変えると、会話が広がるきっかけになります。"I'm feeling good because I just had a good lunch."（ちょうどおいしいランチを食べたので、いい気分です）のように、パーソナルな情報を伝えれば、相手との距離がぐっと縮まる呼び水になるでしょう。

22 感謝を伝える
★★★

Subject: Thank you

お手本

Dear Cecilia,

On behalf of the team, I would like to thank you for taking the time to help out at our event. Your generosity is greatly appreciated. ①

Thank you for always being there to offer help.

Sincerely,
Ken

件名:ありがとうございます　セシリア様
私たちのイベントにお力添えいただいたこと、チームを代表してお礼を申し上げます。あなたの寛大さに大変感謝しております。①　いつも手を差し伸べてくださり、どうもありがとうございます。　健

①の応用フレーズ

▶ **I greatly appreciate your assistance with this report. I wouldn't have been able to finish it on time without your help.**
――このレポートにご協力いただき、誠にありがとうございます。おかげさまで期限内に完成することができました。

▶ **I am grateful for all your support.**
――あなたのすべてのお力添えに感謝いたします。

▶ **Your concern was appreciated by all of us.**
――ご高配いただき我々一同感謝いたします。

▶ **Thank you very much for your help.**
――ご協力いただき本当にありがとうございます。

"Thank you so much."の方がカジュアルで、veryは堅く聞こえることもあるので、場合と状況に応じて調整します。また、使いすぎると違和感を与えることもあるので注意しましょう。

▶ **I just wanted to thank you again for your help today. I really appreciated it and it made my day!**
――あらためて、今日は手伝ってくれてありがとうございました。本当にありがたく、助かりました! ★★

▶ **Please convey our thanks to your team.**
――私たちの感謝の気持ちをチームにお伝えください。★★

▶ **Special thanks to Shirley for taking the initiative.**
――指導してくれたシャーリーに感謝します。★★

▶ **Thank you. / Thanks. / Appreciate it.**
――どうもありがとう。★

▶ **Thanks to you, I was able to meet the deadline.**
――おかげさまで、締め切りに間に合わせることができました。★

Thanks to~は皮肉を込めた意味でも使われます。誤解を与えないように気をつけましょう。例: Thanks to the bad economy, our compensation [salary] will go down this year.(経済がよくないおかげで、今年の給料は下がるだろう)

■compensation = 給料　※compと略すこともあります。

23 お見舞い

Subject: Sincere sympathies

Dear Scott,

I'm very sorry to hear that you've been sick in the hospital.

If there is anything I can do, please do not hesitate to contact me.

I hope you have a speedy recovery.

Best,
Yosuke

件名：お見舞い申し上げます　スコット様
入院されているとのこと、心よりお見舞い申し上げます。　私にできることがあれば、遠慮なくご連絡ください。　一刻も早いご回復をお祈りしております。　洋介

先輩・後輩

欧米では、日本に比べて「先輩」「後輩」の意識が薄いです。そのため、数ヶ月、数年の違いに敏感に反応する日本人を不思議に感じる人は多いようです。

理由は主に2つ考えられます。ひとつは、海外の会社には日本のような新卒一括採用制度がないこと。もうひとつは、一度会社に入れば、皆「同僚」だとみなされることです。確かに年齢差や役職は多少意識しますし、知識、スキル、経験も異なりますが、同僚は上下なしの同僚です。

また、日本の会社には上司を肩書で呼ぶところがありますが、英語では section chief（課長）や department chief（部長）などとは呼びません。代わりに、個人の名前を使います。会社によって異なりますが、ファートネームで呼ぶこともあれば、"Mr./Ms. +姓" で呼ぶこともあります。

そして、もうひとつの違いは、社外での同僚の呼び方です。日本の会社では外部の人に対して「田中は席を外しております」と名字のみで呼ぶことがあります。**英語は、社内での呼び方と基本的に変わりません。ファーストネームで呼ぶか、"Mr./Ms. +姓" で呼びます。**

> Jackie is not at her desk right now.（ジャッキーはただ今席を外しております）
> Mr. Branson is in a meeting right now.（ブランソンはただ今会議中です）

24 お悔やみ

Subject: Sincere sympathies

Dear Brian,

I was very sad to hear of your mother's passing. ①

We send our deepest sympathy and wish we could be with you in this time of sorrow. ②

Sincerely,
Sachi

件名:心よりお悔やみ申し上げます　ブライアン様
お母様がご逝去されましたこと、大変残念に思います。① 心よりお悔やみを申し上げるとともに、お悲しみをお察しいたします。② 沙智

①の応用フレーズ

▶ **We at the office are feeling your father's loss very much. We will miss him greatly.**
——お父様のご逝去に際し、社員一同、心よりお悔やみ申し上げます。大変残念に思います。

②の応用フレーズ

▶ **I am thinking of you in this time of sorrow.**
——このたびのお悲しみに際し、お祈り申し上げます。

▶ **Please know that you are very much in my thoughts and prayers at this time of sorrow.**
——このたびのお悲しみに際し、心よりお祈り申し上げます。

▶ **I want to express my most heartfelt sympathy.**
——心よりお悔やみいたします。

　お悔やみの言葉を伝えるときは、自分と自分の経験を中心に話すのは避けましょう。相手の気持ちを完璧に理解することはできないので、"I know exactly how you feel."(お気持ちよくわかります)など、わかったような言い方をするとおこがましくなります。

宗教を聞くのは失礼？

　宗教に関しては、ビジネスの場では大まかな文脈で話すことは問題ないですが、プライベートな事情に踏み込むのは避けましょう。例えば"Do you belong to a religion?"(特定の宗教に属していますか？)などと、直接的には聞かない方がよいです。

　相手が特定の宗教への興味を示した場合は、"What about Islam appeals to you?"(イスラム教のどのような部分に魅力を感じますか？)のように聞くことは問題ありません。自由回答形式で聞くことで、会話が広がる場合もあります。考えが違ったとしても、感情的にならずに相手の話を聞きましょう。

25 昇進のお祝い

Subject: Congratulations on your promotion!

Hi Erica,

Many congratulations on your promotion! I am delighted that your hard work has been recognized, and I wish you the best in your new role. ①

I send you my very best wishes on your well-deserved success.

You must be very busy, but I look forward to seeing you again soon.

Best,
Rie

件名：昇進おめでとう！　エリカさん
昇進おめでとうございます！　あなたの努力が認められたことを嬉しく思うとともに、新しい役職でのご活躍をお祈りしております。①　あなたにふさわしい成功が訪れることを心より願っております。　忙しいかとは思いますが、また近いうちにお会いできるのを楽しみにしております。　理恵

①の応用フレーズ

▶ **Congratulations on the award! You certainly deserved this recognition.**
——受賞おめでとうございます！　あなたはこの賞を受けるのにとてもふさわしいです。

▶ **Congratulations on being named the Employee of the Year! It is much deserved.**
——年間最優秀社員賞受賞、おめでとうございます！　あなたの受賞は当然の報いでしょう。

ほめる・賞賛するときのフレーズ

▶ **Congratulations on a wonderful presentation!**
——素晴らしいプレゼンお疲れさま!

▶ **Great job! / You did great!**
——よくやった! ★

励ますときのフレーズ

▶ **I hope things turn out well. / I hope all goes well.**
——うまくいくことを祈っているよ。

▶ **I wish you good luck in your new position!**
——新しい役職での幸運を祈っています!

■ deserve＝〜に値する　■ recognition＝認めること、表彰

賞賛は素直に受け取ろう

　仕事でほめられたとき、日本語では謙遜して「とんでもないです」「そんなことないです」と否定する方がむしろ自然かもしれません。しかし英語では、せっかくの賞賛を否定すると、相手を否定していると捉えられたり、偽りの謙遜のような印象を与えたりします。顔の前で手を振りながら言うと、さらに誤解を招きます（詳しくは WATER COOLER 7 で説明しています）。

　ほめられたときは、その評価に正直に喜んでよいのです。"Thank you." や "It's nice of you to say so."（そう言っていただけて嬉しいです）などと感謝の意を伝え、相手の言葉や思いやりを素直に受け止めましょう。

26 出産のお祝い

Subject: Congratulations!

Lisa,

Congratulations on your new baby! ①

I am delighted to hear the great news and send all the best to you, your husband and your new arrival. ②

Best,
Kazuaki

件名:おめでとう！　　リサさん
お子様がお生まれになったとのこと、おめでとうございます！① よい知らせを聞けて嬉しいです。あなたとご主人、そして新しい命にご多幸がありますように。②　和明

①の応用フレーズ

▶ **Congratulations on the birth of your baby!**
——お子様のご誕生おめでとうございます!

②の応用フレーズ

▶ **I wish you and your family all the best. / Best wishes to you and your family.**
——あなたとご家族にご多幸がありますように。

子どもの卒業や就職のお祝い

▶ **Congratulations! I heard your son just graduated from high school.**
——おめでとうございます! 息子さんが高校を卒業されたと聞きました。

▶ **Your daughter found a new job? Please give her my congratulations.**
——お嬢さんの就職が決まったようですね? おめでとうとお伝えください。

▶ **I heard your son just got a job. Congratulations and please send him my best.**
——息子さんの就職が決まったと聞きました。おめでとうございます。よろしくお伝えください。

結婚のお祝い

▶ **Congratulations on your marriage!**
——ご結婚おめでとうございます!

▶ **I hope your life will be full of joy and happiness.**
——喜びと幸せに満ちた人生をお祈りいたします。

▶ **I wish you the best for the years to come.**
——末永いお幸せをお祈りいたします。

27 転職の挨拶 ★★

Subject: Thank you for all your support

Dear Jane,

As of March 20, I will be resigning from Asahi Associates. ①

Thank you for all your support during my time at Asahi Associates.

I hope that our paths will cross in the future. ②

Sincerely,
Daisuke

件名：これまでお世話になりました　ジェーン様
この度、3月20日付で朝日アソシエイツを退職することとなりました。①
朝日アソシエイツでこれまでお力添えいただき、ありがとうございました。
いつの日か、またどこかでご縁があることを願っております。②　大輔

①の応用フレーズ(異動の場合)

▼**I will be transferring to the sales department.**
　——営業部へ異動となりました。

②の応用フレーズ

▼**I look forward to working with you again in the future should the opportunity arise.**
　——いつの日か機会がありましたら、また一緒にお仕事できることを楽しみにしております。

▼**I hope we can continue to stay in contact.**
　——これからもよろしくお願いいたします(連絡を取り合いましょう)。★

日米の転職事情

　海外の多くの国では、終身雇用や年功序列という考え方はほとんどありません。また、家庭の事情に加え、仕事内容、賃金や人事評価、職場環境への不満など様々な要因により、転職率は上昇しています。

　ここで、日米の転職事情を比較してみましょう。アメリカの労働省が行った調査によると、アメリカではベビーブーム時代後半(1957〜1964年)に生まれた人は、18〜46歳の間に平均11.3個の仕事を持った経験があり、そのおよそ半数は18〜24歳の間に経験したそうです(参考:アメリカ労働省労働統計局ニュースリリース、2015年3月31日)。

　リクルートワークス研究所の「ワーキングパーソン調査2012」によると、日本では18〜59歳の男女のうち、退職経験のある人は61.8%だそうです。そのうち、退職回数で最も多いのが「1回」(36.6%)、次に「2回」(24.7%)で、全体の約6割が「2回」以内になります。

　終身雇用という制度は日本でも薄れつつあるとの認識はあったものの、就職したら「同じ会社で長く働く」ものだと何となく思い込んでいました。そのため、ゴールドマン・サックスに入って間もなく「今日は○○さんの最後の日です。2年間お疲れさまでした」とのアナウンスがあったときや、「あの人最近見かけないな」と思っていたら、いつの間にかその人が転職していたことを知ったときは驚きました。

しかし、業界的にも転職は普通のことで、よりよい条件を求めて、日々の激務をこなしながら転職活動をする人もいますし、優秀な人はヘッドハンターから声がかかることもあります。さらに、本国から出向してきた社員が本社に戻ったり、日本で現地採用された人が海外のオフィスに異動したりすることも珍しくはなく、とにかく人の入れ替わりが多い環境です。人間関係や仕事によくも悪くも影響が生じますが、それだけ色々な人と関われる絶好の機会だと思います。

　ちなみに、昇進するとタイトル（肩書）が変わることがあります。日本の一般的な企業では、課長→次長→部長などと昇進していきますが、外資系金融企業は一例として、次のようにタイトルが変わります。

アナリスト（Analyst）→アソシエイト（Associate）→ヴァイス・プレジデント（Vice President / VP＝日本で言う中間管理職）→マネージング・ディレクター（Managing Director / MD＝執行役員など。経営陣に近く、従業員の中で最も高いポジション）

ちょっとブレイク
WATER COOLER 9

受動態の使い方

英語にも日本語にも、能動態と受動態があります。例えば、The client cancelled the meeting.（クライアントがミーティングをキャンセルした）は能動態で、これを受動態にすると、The meeting was cancelled by the client.（ミーティングはクライアントによりキャンセルされた）となりますね。

学校の英語の授業で、能動態と受動態の書き換えを練習したことはあっても、両者の使い方の違いについて知っている人は少ないかもしれません。基本的に役割ははっきりと違いますので、ここで理解しておきましょう。

「クライアントがミーティングをキャンセルした」の例文を使って、次の3つの文章を比較します。

① The client cancelled the meeting.
② The meeting was cancelled by the client.
③ The meeting was cancelled.

①は能動態の文章です。動作主（＝クライアント）が主語として最初に登場します。つまり、**ミーティングをキャンセルしたのが「クライアント」であることを強調しています。**

②は受動態の文章です。「誰によって」が最後に出てきます。つまり、**動作主の情報はさほど重要ではありません。**

③は受動態ですが、「誰によって」が省略されています。**動作主は重要ではなく、「ミーティングがキャンセルされた」という出来事のみを伝えています。**

このように、どの部分を強調したいかによって、文体はおのずと決まります。**受動態は基本的に動作主が重要ではないときに使い、情報として必要がな**

ければ、③のように省略します。

　しかし、大統領など、重要人物の行為について話す場合、受動態は不適切でしょう("A meeting was cancelled by the President.")。動作主を真っ先に伝えるべきですので、"The President cancelled a meeting." と能動態にします。

おわりに
POSTSCRIPT

　この本の読者として強く意識したのは、数年前の自分自身と似た境遇にいる方々です。ゴールドマン・サックスで働き始めたばかりの頃を思い出し、仕事で使う英語について知りたかったことをベースに執筆をしました。皆様と同じように、当時の私も慣れないビジネス英語に悪戦苦闘の日々を送っていました。

　なるべく間違いやミスで周りに迷惑をかけたくないと思い、あるとき参考になる本を求めて書店に行ったときのこと。ビジネス英会話や英文メールの書き方、単語やフレーズ集などはたくさんありましたが、総合的な「外資系企業入社1年目の教科書」のような書籍は見つからなかったのです。そのときの「こんな本があればいいのに」という思いが、本書を執筆する大きな原動力となりました。

　私は日本で生まれ、人生のほとんどを日本で過ごしてきました。父親はアメリカ人ですが、幼少期は日本語しか話さなかったので、英語はほぼ外国語のようなものです。英語を話す機会はあっても、家族や親戚はもちろんのこと、ハワイ留学時代に先生や友人と話すときも、「敬語」は特に意識していませんでした。

　ゴールドマン・サックスとの出会いは、ある就職・転職イベントに参加したことがきっかけでした。ウォールストリートやシリコンバレーの名だたる外資系企業の看板に目がくらみましたが、話を聞くチャンスだと思い、ブースに立ち寄ったのです。「寄る」と言っても当イベントの主役と言っても過言ではないトップ企業なので、私には勇気が必要でした。採用担当の方は快く履歴書を受け取ってくれましたが、結局怖じ気づいて、資料を受け取ってそそくさとその場を去った記憶があります。

　その後、ご縁があって人事の方から連絡があり、選考を経て働くことになったのです。世界を舞台に活躍する一流のプロフェッショナルと仕事が

できる——そんな夢のようなチャンスに心が躍ったことを思い出します。

　ところが、働き始めてすぐ、思わぬ現実に直面しました。会社で使われている「英語」が、私がこれまで触れてきた英語とはまるで別物だったのです。それは、専門用語や業界用語などの言葉の違いだけではありません。スピーディーな環境で、効率よく効果的にコミュニケーションを取るために、周りの人たちはシーンや用途に応じて英語を使い分けていました。本書で紹介した「クッション言葉」や「格上げ単語」などを使って丁寧に表現するときもあれば、返信メールが"Approved."（承認します）のひと言だけのときもありました。このように、ビジネス英語には一定のルールが存在しないので、自然に使い分けられるようになるまでにはかなり苦労しました。

　そんな中、丁寧なコミュニケーションのお手本となったゴールドマン・サックスの方々には、深く感謝をしています。会社勤めも金融業界も未経験だったにもかかわらず受け入れてくださり、目まぐるしい忙しさの中でも多くのことを指導してくださいました。だんだんと仕事の範囲や人脈が広がり、業界用語や職種の特有の単語も使い慣れて、常に専門的なボキャブラリーやコミュニケーション方法を磨いていく習慣が身につきました。

「言語は生きている」と言いますが、それはビジネス英語においても同じです。実践を通して得た知識や経験は、ビジネス以外の分野や私生活においても役立つはずです。この本を通じて、練習を重ね、センスを磨き、個性を生かし、生きた自然なコミュニケーションができるようになることを願っております。

マヤ・バーダマン (Maya Vardaman)
宮城県生まれ。上智大学比較文化学部卒業。
ハワイ大学へ留学し、帰国後は秘書業を経て、
ゴールドマン・サックスに勤務。
現在は別の外資系企業に勤めながら、
医学英語の講師を務める。

ジェームス・M・バーダマン(James M. Vardaman)
アメリカ、テネシー生まれ。
ハワイ大学アジア研究専攻、修士。
早稲田大学文化構想学部教授。
著書に『毎日の英文法』『毎日の英単語』
『毎日の英速読』『毎日の日本』(以上、小社)、
『アメリカの小学生が学ぶ歴史教科書』(ジャパンブック)、
『アメリカ南部』(講談社)など多数。

英語のお手本
そのままマネしたい「敬語」集

2015年7月30日　第1刷発行

著　者 ──────── マヤ・バーダマン
監修者 ──────── ジェームス・M・バーダマン
ブックデザイン ── 寄藤文平＋杉山健太郎(文平銀座)
発行者 ──────── 首藤由之
発行所 ──────── 朝日新聞出版
　　　　　　　　〒104-8011　東京都中央区築地5-3-2
　　　　　　　　電話 03-5541-8814(編集)
　　　　　　　　　　 03-5540-7793(販売)
印刷所 ──────── 大日本印刷株式会社

©2015 Maya Vardaman, James M. Vardaman
Published in Japan by Asahi Shimbun Publications Inc.
ISBN 978-4-02-331410-8
定価はカバーに表示してあります。本書掲載の文章・図版の無断複製・転載を禁じます。
落丁・乱丁の場合は弊社業務部(電話03-5540-7800)へご連絡ください。送料弊社負担にてお取り替えいたします。